VIOLENCIA

doméstica

Detección
prevención
y ayuda

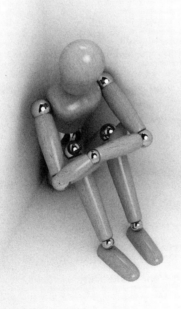

Celso William Chignoli

EDITORIAL CONCORDIA • SAINT LOUIS

Propiedad literaria © 2011 Editorial Concordia
3558 South Jefferson Avenue, Saint Louis, Missouri, 63118-3968 U.S.A.
1-877-450-8694 • editorial.cph.org

Los textos bíblicos que aparecen en esta publicación son de La Santa Biblia, Nueva Versión Internacional, © 1999 por la Sociedad Bíblica Internacional, usados con permiso.

Editor: Rev. Héctor E. Hoppe
Foto de tapa: © Carsten Reisinger/Shutterstock, Inc.

Editorial Concordia es la división hispana de Concordia Publishing House.

Impreso en los Estados Unidos de América

1 2 3 4 5 6 7 8 9 10   20 19 18 17 16 15 14 13 12 11

A aquellos que me enseñaron cómo se ama,
especialmente a mi esposa Conchita, y a su amorosa paciencia,
a mis amigos Dr. Ricardo Bonesso y Dr. Alfonso Menotti.
A mi editor y compañero en la misión Rev. Héctor Hoppe,
por apoyarme en el desafío de escribir este libro.

"Y se llamará su nombre Consejero admirable."
Isaías 9:6

CONTENIDO

Introducción

Este libro que aquí presentamos es el resultado de 18 años de trabajo en la ciudad de Saint Louis, Missouri, a través de las instituciones de *La Clínica y de Acción Social Comunitaria*, entidades que fundamos y dirigimos para proveer de servicios médicos y psicológicos a la comunidad hispana y que luego extendimos a todos aquellos que necesitaban de estos servicios y no podían pagar por ellos.

Si bien en este ambiente las necesidades eran muchas, y muchas también las circunstancias adversas a que nos enfrentamos, sin duda, la violencia doméstica capturó nuestra atención por la tragedia que ésta significaba. Dedicamos muchas horas a atender, proveer terapia, y trabajar con la policía, educar, darnos cuenta que estos horribles actos de violencia doméstica pudieran haberse evitado si alguien hubiera intervenido a tiempo.

En la gran tragedia de la violencia doméstica, la intervención puede salvar vidas.

Es importante entender que la mejor forma de protección contra sucesos trágicos –que a diario nos impactan a través de los medios de comunicación y en nuestra actividad ministerial– es hablando, educando, y defendiendo.

Esto se puede hacer no sólo orientando a una víctima o a una familia cuando observamos que algo anda mal. La policía dispone de un grupo de especialistas que pueden ayudar con la víctima y el victimario.

La violencia doméstica y la agresión sexual no se deben descuidar o dejar pasar. Debemos entender que la mejor forma de actuar contra sucesos trágicos es obrar a tiempo. La violencia doméstica es un delito que siempre termina en una tragedia si no se actúa a su momento.

Este libro fue escrito con mucho amor, y fue expuesto a diferentes grupos, y con los comentarios recibidos pudimos pulir y lograr un mejor resultado para nuestros lectores.

Una palabra a nuestros pastores y estudiantes de seminarios: facilitar la sanidad y el crecimiento de personas cargadas y lastimadas es el llamado de Cristo y la preocupación del pastorado después de confrontar el peligro de la iglesia contemporánea: ser irrelevante.

El principal objetivo de este libro es asistir a los pastores, seminaristas, y personas encargadas de trabajar en el área de la asistencia social, a desarrollar sus capacidades, y a entender el proceso de la violencia doméstica, y lograr un conocimiento profundo del sistema familiar y de los procesos de la violencia intrafamiliar.

Que el Dios de la vida y del amor a quien conocemos mejor en Cristo, les bendiga al leer este libro, y sobretodo, al poner en práctica lo que aprendan de él.

Rev. Dr. Celso William Chignoli
williamchignoli@aol.com

Cuando las malas noticias vienen de la iglesia

Ella es hija de una de las familias cristianas más destacadas de nuestra iglesia. Él llegó a la iglesia para ser parte del círculo de jóvenes y participó diligentemente en todas las actividades. Lo que quiero decir es que los vimos crecer, hacerse adultos, comenzar su noviazgo y casarse en nuestra iglesia. Eran muy buenos jóvenes y daban un muy buen testimonio cristiano. Cuando Ann llamó esa mañana, me dijo que era muy importante que hablara conmigo ese mismo día. Por supuesto, inmediatamente percibí el sonido de la alarma, algo me dijo que lo que ella quería hablar conmigo no era nada bueno.

Se sentó lentamente delante de mí, había llegado llorando y al comenzar a descubrirse la cara, su llanto aumentó de intensidad mientras su respiración se hacía entrecortada, entonces vi su rostro lleno de terribles marcas y moretones, alrededor de sus ojos, así como también en sus brazos.

–Carlos y yo peleamos, él estuvo muy violento, dijo, conteniendo sus sollozos. –Luego lloramos mucho. Estoy embarazada y Carlos dice que se irá de la casa. Me siento tan avergonzada.

Las familias de ambos recibieron la noticia bastante bien, los padres de Carlos comenzaron a venir a la iglesia durante la preparación del casamiento y finalmente se hicieron miembros. Decidimos hacer un largo tratamiento de sanación mientras la congregación permaneció junto a las familias y ambos recibieron terapia profesional. El terapeuta hizo una breve explicación ante las dos familias con mi presencia y juzgué que la situación estaba en un punto de arreglo. Cuando el bebé fue traído por primera vez al templo todos se sintieron muy conmovidos.

Parecía que habíamos llegado a un final feliz, pero había preguntas sin responder: ¿Cómo le pudo suceder algo así a una pareja de jóvenes?

¿Habían hecho algo malo? Ambos eran muy buenos testigos de Cristo. ¿Dónde habían errado?

"Caín habló con su hermano Abel. Mientras estaban en el campo, Caín atacó a su hermano y lo mató" (Génesis 4:8).

A MODO DE EJEMPLO: ANÁLISIS DE CUATRO COMUNIDADES HISPANAS

Analicemos, como ejemplo, cuatro comunidades hispanas durante el período comprendido entre los años 1998 - 2008. En Saint Louis, área metropolitana (Missouri e Illinois), la comunidad de Miami, la de San Juan, Puerto Rico, y la de México. Para señalar algunos detalles a tener en cuenta, digamos que el área de Saint Louis está constituida básicamente por personas jóvenes entre los 18 y 29 años, en un 80 por ciento son mejicanos, y éstos, en su mayoría son del estado de Michoacán. Un 64 por ciento tienen tercer grado elemental o menos, con lo que podríamos decir que en la práctica son analfabetos funcionales tanto en español como en inglés. No llegan a Saint Louis por ser éste un lugar conocido como un centro de trabajos para migrantes, sino que llegan atraídos por sus familiares y amigos y eventualmente por el bajo costo de vida. La mayoría de las parejas se forman en edades entre los diecisiete a los veinte años, y de estas relaciones, un 60 por ciento se forman en las fronteras durante el tiempo de espera para cruzar al territorio de los Estados Unidos.

Hay como un acuerdo tácito que incluye cierta violencia (ella manifiesta, años después, que fue violada por él, pero después decidieron seguir juntos). Si el terapeuta ahonda en las preguntas pudiera descubrir cierta negociación implícita, no hablada claramente. Aquella joven mujer que fue capaz de salir de su casa y de su pueblo, cruzar todo el territorio mejicano y llegar hasta la frontera, sufre un proceso de ablande en la espera para cruzar, y descubre un mundo violento y unipersonal al que en su pueblo no tenía acceso. Por otra parte, el joven adulto llega a la frontera con la decisión de cruzar, comienza a convivir con la rudeza, a ahondar los conceptos primitivos de machismo, a beber, y a fumar, y a compartir con hombres mayores una forma de vida sumamente hostil. Durante este tiempo de espera consume el dinero y crece la ansiedad y no hay posibilidad de conseguir un trabajo ocasional. Finalmente la relación de pareja se establece, sin conocimiento el uno del otro, sólo con lo que observaron en sus hogares primitivos. Llegan a Saint Louis y descubren que el sueño americano no está esperando en una esquina y no sólo tienen el compromiso de pareja y los sucesivos embarazos, sino que también existe el compromiso de enviar dinero a la casa de sus padres y en algunas ocasiones al hogar que quedó en alguna colonia de Michoacán. No existe un barrio o área de vida común, hay varios enclaves con poca vida comunitaria sin servicios ni actividades comunes. Hay pocos trabajos y muy rígidos, pobre remuneración, muchas responsabilidades, más cerveza, y la desilusión del sueño "voy, trabajo un par de años y me regreso con unos dólares para comprar una finquita o una casa". Así el paraíso se transforma en seis días de trabajo con un promedio de doce horas diarias. Sus prioridades cambian bruscamente: lo imperativo es sobrevivir.

Ella, que había venido para ayudar en su hogar enviando algunos dólares mensuales, queda trabada en un mar de niños y biberones y poco más de doce horas de soledad en la casa, sin teléfono y sin transportación. Totalmente aislada e incomunicada, los miedos comienzan a crecer. El alcohol, la frustración, la inseguridad, y la soledad hacen que muy pronto entre en escena la violencia. El 50 por ciento de estas parejas viven juntos, no están casados legalmente y la relación comienza a declinar entre el séptimo al décimo año. Hasta aquí han pasado por una variada gama de incidentes de violencia, intervenciones policiales, y pastorales.

La comunidad hispana de Miami, constituida en su mayoría por refugiados cubanos y nicaragüenses, establece desde el principio una diferencia notable: son residente legales, en su mayoría vienen de una clase media bien educada y con un sentido desarrollado de comunidad y asistencia mutua, quizás por provenir de países que al momento de su emigración, están en conflictos internos. Así se crearon los barrios, donde cada comunidad étnica, o de nacionalidad, tiene su propio entorno sistémico de apoyo que funciona como un sistema amortiguador o sea como un colchón de aire, donde el que ha sido herido encuentra consuelo y ayuda, en el que puede reponer sus fuerzas, y cuando ya está recuperado, vuelve a salir.

El factor de violencia aparece no con las características de Saint Louis, porque en Miami la gente sabe que viene a quedarse, que el sueño no es volver sino establecerse. Trata de acceder a la naturalización americana y participar políticamente. La violencia aparece esta vez por los cambios en los roles ya que las ofertas de trabajo son diferentes. En Saint Louis son trabajos en áreas rurales o que tienen que ver con las habilidades del hombre hispano pobremente educado: trabajar en jardines y en el campo, restaurantes, en la construcción, etc. En Miami, el hombre es generalmente mejor educado, pero sin inglés suficiente y con grados académicos traídos de sus respectivos países encuentra un lugar sumamente hostil, conflictivo, y disociador en cuanto a su relación de personalidad y posibilidades inmediatas. La mujer, por su parte, trae consigo un lema práctico: "Lo importante es resolver." Pronto encuentra trabajo en factorías, en el servicio doméstico, en cocinar, en panaderías, etc. Al principio ella trata de seguir con su rol anterior a cargo de la casa además de su trabajo, y los niños y las escuelas, y así su esposo busca una posición de trabajo similar a su país y maneja el automóvil para llevar y recoger a su esposa del trabajo. Bien pronto ella va adquiriendo más autonomía, compra su auto, aprende a manejar y se transporta por su cuenta. El asunto es distribuir las áreas de trabajo en el hogar y administrar el dinero que se obtiene, incluyendo a su esposo para sus movimientos diarios. La violencia, a veces mutua, no tarda en aparecer con los cambios de roles, dentro de la estructura rígida de familia con la que llegaron, y de miedos adquiridos. En este punto, los porcentajes que se manejan indican que durante el proceso descripto arriba, las separaciones y los divorcios señalan que es un 26 por ciento más alto que la comunidad dominante durante los primeros cuatro años de ingreso al país. Una cifra claramente distante de las estadísticas nacionales y por supuesto de las hispanas mismas.

En Puerto Rico la situación cambia radicalmente en tanto que es un país enteramente hispano, que vive una suerte de diferentes tensiones en cuanto a la identidad, la administración estadounidense, la pobreza, y la violencia social y persistente junto a una parte de la comunidad que ha decidido cambiar esa situación. En este proceso de años de deterioro se han producido dos tipos de violencia, producto, otra vez de dos cambios, en roles domésticos y en niveles de educación. La violencia del hombre en las clases más pobres y la violencia de la mujer en las clases más favorecidas. Y cuando hablamos de violencia, nos estamos refiriendo no sólo a la violencia física, sino también el abuso sicológico o emocional. Todo lo que hemos revisado hasta aquí, se puede encontrar en los libros sobre el tema de la violencia doméstica con algunos cambios sólo expresados a través de nuestra práctica comunitaria.

Quiero dejar en el lector algunos conceptos adicionales, la necesidad de establecer una evaluación de la comunidad en la que desarrolla su actividad el pastor, o el terapeuta. Hemos visto y llamado la atención que la violencia doméstica entre hispanos tiene sus variantes si tenemos en cuenta:

Cuánto tiempo lleva el inmigrante en el país, y su situación migratoria.
Cuál es su país de origen y en qué área geográfica está residiendo.
Si ha nacido en los Estados Unidos y si su lengua de preferencia es inglés.

Con respecto a México y las causas de su violencia intrafamiliar se cree que son los efectos de la crisis económica en el país, y podrían estar relacionados también con el desempleo y el incremento de los niveles de estrés producidos por la creciente pobreza, la cual es considerada en México como un indicador de la violencia intrafamiliar. Pero la principal causa que se describe en México es el abuso de alcohol. A través de una encuesta en hogares llevada a cabo en el área de la ciudad de México, se les preguntó a 544 mujeres, que actualmente viven con una pareja masculina, sobre la ocurrencia de actos violentos y los riesgos asociados, así como el estado de ebriedad del marido. Los resultados mostraron que el 38,4 por ciento de las mujeres sufrieron algún tipo de violencia. Estudios hechos por los investigadores en el artículo sobre la violencia marital y su relación con el abuso del alcohol en México han encontrado que el alcohol relacionado a la violencia familiar es un fenómeno complejo que involucra la respuesta al contexto o a la situación, las características de la gente involucrada tales como la predisposición a la agresión, así como el tipo y la cantidad de alcohol consumido. En su revisión de violencia marital, Leonard (1992)

16

reportó que estudios de mujeres maltratadas indicaron que del 35 al 90 por ciento de éstas viven con una pareja masculina que tiene problemas de alcoholismo; las estimaciones de la intervención del alcohol en eventos violentos entre esposos varía del 22 al 85 por ciento, comparado con el rango de la población general, que oscila entre un 10 y un 13 por ciento. Aún cuando en muchas culturas el alcohol se ha asociado con conductas violentas se ha demostrado que esta sustancia no siempre está relacionada con la violencia. En un estudio transcultural, Levinson (1989) encontró que el alcohol estuvo presente en la violencia en sólo el 9 por ciento de las 90 comunidades campesinas estudiadas. El mismo autor reporta que hay sociedades en que la violencia familiar no existe.

Aunque la violencia doméstica relacionada con el alcohol es un severo problema de salud en México, no ha sido suficientemente estudiado para comprenderlo en su totalidad.

Si hacemos un cuadro utilizando dos de las comunidades arriba descritas, podremos establecer ciertas coordenadas:

MIAMI	SAINT LOUIS
Predominantemente hispano	Mayormente afroamericano
Organizados en barrios	No existes los barrios
56 por ciento cubanos	76 por ciento Mexicanos
Nicaragüenses, colombianos	Mayoría de Michoacán - México
Otras nacionalidades	Un poco de todos
Ingreso promedio nacional	Ingresos por debajo del nivel nacional
Acceso al sistema de asistencia social	Fuera del sistema de asistencia social
La mujer en su mayoría trabaja fuera del hogar	La mujer, en su mayoría, no trabaja fuera del hogar
Hay una incidencia del un 26 por ciento más de divorcios dentro de los primeros 4 años del arribo	En su mayoría no están casados. La separación se produce en 5 a 7 años
La mujer tiene su automóvil	La mujer no tiene automóvil ni maneja

LA VIOLENCIA DOMÉSTICA

La violencia doméstica afecta a hombres y mujeres de todas las edades, razas, religiones, y niveles de ingreso. Se estima que entre un tercio y la mitad de los hogares en los Estados Unidos experimental alguna forma de violencia doméstica.

Se reportaron 39.097 incidentes de violencia doméstica en Missouri en el 2004, y 51 homicidios como consecuencia de la violencia doméstica. El 22,5 por ciento de estos homicidios sucedieron entre los miembros del matrimonio.

En este mismo año de 2004 se clasificaron 5.433 incidentes de violencia doméstica donde hubo heridos o hechos de sangre. Las estadísticas policiales del estado indican que el 2004 se reportó el más alto número de incidentes de violencia doméstica desde 1999.

Missouri Coalition Against Domestic Violence (MCADV) en el 2004 proveyó servicios no residenciales a 28.827 mujeres, a 1.082 hombres, y a 8.474 niños.

MCADV proveyó en ese mismo año de 2004 40.532 camas para la noche por un largo período de transición a 133 mujeres y a 163 niños.

También en el 2004 MCADV proveyó alojamiento de emergencia a 132 hombres.

1 de cada 7 mujeres ha sido asaltada sexualmente (MSHP 2004). La violación creció un 5.5 por ciento entre el 2003 al 2004. En el 2004 se produjo una violación cada 6 horas. Se reportaron 1,469 violaciones y 605 arrestos por violación.

Los casos de violencia doméstica en el Estado de la Florida excedió los 120.000 en el 2006 (*Florida Attorney General*, 2007)

En el año fiscal 2003-2004, los centros de atención a la violencia doméstica atendieron más de 132.000 llamadas de personas en crisis, proveyeron consejería y orientación a alrededor de 200.000 personas y proveyeron alojamiento de emergencia a 14.000 personas, mayormente mujeres y niños (FCADV, 2004). Florida es uno de los diez estados que ha participado en la creación de *Family Violence Prevention Funds* para sostener una iniciativa de cuidados de la salud desde 1995.

En los Estados Unidos, la agencia de protección a la niñez en todo el país encontró que en el 2005:

899.000 niños fueron víctimas de abuso o negligencia o rechazo. (*Children's Bureau, Child Maltreatment*, 2005, (Washington, DC: *U.S. Department of Health and Human Services*, 2006), http://www.acf.hhs.gov/programs/cb/pubs/cm05/cm05.pdf

289.100 mujeres y 78.180 hombres fueron victimizados por su pareja íntima (Shannan M. Catalano, *Criminal Victimization*, 2005).

191.670 víctimas experimentaron incidentes de violación o asalto sexual (Ibíd., 3.).

Los adolescentes (edades 12 a 19) experimentaron 1,5 millones de crímenes violentos. Este número incluye 73.354 asaltos sexuales y violaciones (Ibíd., 7.).

389.100 mujeres y 78.180 hombres fueron victimizados por su pareja intima. Estos crímenes representan el 9 por ciento de todos los crímenes violentos en el mismo periodo (Ibíd., 9).

La disfuncionalidad familiar está usualmente ligada a la violencia doméstica, así, se puede estar seguro que cuando hay violencia doméstica, también se encontrará disfuncionalidad.

Una familia disfuncional es aquella en que sus miembros juegan roles rígidos y en la cual la comunicación está absolutamente restringida a las declaraciones que se adecuan a los roles. Los miembros de la pareja no tienen libertad para expresar toda una gama de experiencias, deseos, necesidades, y sentimientos, sino que deben limitarse a jugar el papel que se adapta al otro conyugue o miembro de la familia.

En todas las familias hay roles o papeles, pero a medida que las circunstancias cambian, los miembros también deben cambiar y adaptarse para que la familia siga siendo saludable. Es decir, esos roles deben ser dinámicos, no rígidos.

En las familias disfuncionales los aspectos principales de la realidad se niegan, y los papeles permanecen rígidos. Obviamente cuando los miembros de la pareja niegan la realidad, los hijos también comienzan a negarla, y esto deteriora severamente en la pareja y en sus hijos el desarrollo de las herramientas básicas para la vida y para relacionarse entre sí y con otras personas y ajustarse a las situaciones que se producen como consecuencia del acto de vivir. En estas circunstancias nos volvemos incapaces de discernir cuando alguien o algo no es bueno para nosotros. No confiamos en nuestros sentimientos, no los usamos para guiarnos, y nos vemos arrastrados hacia los mismos peligros, intrigas, dramas, y desafíos que otras personas, más saludables emocionalmente y equilibradas, evitarían naturalmente. Los factores deformantes más comunes son la manipulación, el control, la agresividad, y la dualidad en la dirección.

INTIMIDAD

Existe en la pareja un factor decisivo que evita o provoca el desarrollo de la violencia, y éste es la existencia o no de intimidad. Intimidad significa cercanía y unión, éxtasis compartido, satisfacción mutua, bienestar, alegría, serenidad, y paz. La intimidad no es tanto una cuestión de cosas que se comparten y con cuánta intensidad, sino más bien el grado de necesidad-satisfacción mutua que exista dentro de la relación de pareja.

Cuando la interacción resulta destructiva o cuando los miembros de la pareja viven existencias paralelas, vidas sin interrelación, o cuando uno de los esposos siente la necesidad de algo más profundo en la relación, volver al amor, romper la rutina, encontrar el sentido de aventura compartida, la pareja necesita un cambio, siente la necesidad de algo más profundo.

La intimidad es el tercer punto en la trilogía de la vida en pareja compuesta además por sexualidad y sensualidad.

Génesis 2:18-23: Luego Dios, el SEÑOR dijo: "No es bueno que el hombre esté solo. Voy a hacerle una ayuda adecuada." Entonces Dios el SEÑOR formó de la tierra toda ave del cielo y todo animal del campo, y se los llevó al hombre para ver qué nombre les pondría. El hombre les puso nombre a todos los seres vivos, y con ese nombre se les conoce. Así el hombre fue poniéndoles nombre a todos los animales domésticos, a todas las aves del cielo y a todos los animales del campo. Sin embargo, no se encontró entre ellos la ayuda adecuada para el hombre. Entonces Dios el SEÑOR hizo que el hombre cayera en un sueño profundo, y mientras éste dormía, le sacó una costilla y le cerró la herida. De la costilla que le había quitado al hombre, Dios el SEÑOR hizo una mujer y se la presentó al hombre, el cual exclamó: "Ésta si es hueso de mis huesos y carne de mi carne. Se llamara 'mujer' porque del hombre fue sacada."

Cantares 4:10 ¡Cuan delicioso es tu amor hermana y novia mía! ¡Más agradable que el vino es tu amor y más que toda especia la fragancia de tu perfume!

Cantares 7:1- 2 ¡Ah, princesa mía, cuán bellos son tus pies en las sandalias! Las curvas de tus caderas son como alhajas labradas por hábil artesano. Tu ombligo es una copa redonda, rebosante de buen vino. Tu vientre es un monte de trigo rodeado de azucenas.

INTIMIDAD Y SEXUALIDAD

SEXUALIDAD
Específicamente físico

SENSUALIDAD
Acompañamiento y
complementación física

INTIMIDAD
Emoción
Cercanía
Vulnerabilidad
Conexión
Confianza

Sexualidad es la totalidad de quienes somos en dos cuerpos. Sensualidad es la capacidad de los sentidos de asumir su experiencia y de expresarse. La intimidad ocurre en la relación interpersonal caracterizada por la mutualidad. Es la habilidad de conocerse y darse a conocer. Es una relación íntima y verdadera en la que uno experimenta cambios sin perder su original sentido de ser uno mismo. La falta de armonía en este triángulo en la relación de pareja produce los espacios para generar discordia y violencia.

LAS MÚLTIPLES FORMAS
DE LA VIOLENCIA DOMÉSTICA

La violencia doméstica o intrafamiliar adopta múltiples formas: abuso conyugal, ya sea el abuso del esposo a través de los golpes u otras formas de violencia, y el abuso sexual; o viceversa, el maltrato hacia el esposo, la manipulación, la negación a la sexualidad, el control, y el vacío emocional. En el orden familiar también se observa maltrato a los niños, abuso sexual hacia los niños y niñas, maltrato a los ancianos, agresión a los padres por parte de los hijos, y violencia entre hermanos.

Por razón de las estadísticas, con más frecuencia nos referiremos a la violencia conyugal y dentro de ésta, al maltrato o violencia hacia la esposa. La mayoría de los ejemplos y técnicas que aquí se exponen pueden ser utilizados para otros tipos de violencia familiar.

Después de más de cuarenta años de interacción con la violencia doméstica he llegado a la conclusión de que la violencia es adictiva. La mezcla explosiva de la interacción violenta, la secreción de adrenalina en grandes cantidades, los gritos, el deseo intenso y dramático de controlar una discusión que por lo general se ha generado en un hecho banal pero que hace parte del control, van creando una situación que la hace necesaria como una droga y que cada vez se repite con menos tiempo de intermitencia, como ya veremos más adelante.

Se calcula que un 25 por ciento de las mujeres maltratadas son golpeadas durante el embarazo y muchas de ellas sufren abortos como resultado de tal violencia. También los reportes policiales han determinado que entre el 25 y el 30 por ciento de los homicidios son de índole doméstico. Cuando ocurre un homicidio doméstico entre esposo y esposa, tanto uno como el otro pueden ser la víctima, en iguales proporciones. Las mujeres, hartas de ser abusadas, pueden pensar que el único camino para terminar con la violencia es matando a su abusador. Los hombres que se ven sobrepasados por su conducta violenta, a menudo matan a su víctima. Las estadísticas policiales demuestran que las mujeres matan a sus esposos en defensa propia con una frecuencia siete veces mayor que la de los esposos que matan a sus esposas en defensa propia. En un 60 a 80 por ciento de los incidentes violentos el golpeador –y a veces la mujer golpeada– se encuentran bajo el efecto del alcohol u otras drogas.

Las drogas no son causa de violencia doméstica, pero pueden ser un factor que contribuye a generar una discusión o una situación conflictiva y que la acción pueda ser intensificada por los componentes de agitación y la intensa secreción de adrenalina. En un 50 por ciento de las familias donde las esposas son abusadas, los hijos también son maltratados o descuidados. De los varones de entre 11 a 20 años que comenten homicidio, el 63 por ciento mata al hombre que está golpeando a su madre.

EL COSTO DE LA VIOLENCIA DOMÉSTICA

Las dos terceras partes de los hombres atendidos en un año por todos los profesionales asociados a nuestra práctica comunitaria, provienen de hogares en los que fueron testigos de cómo sus padres maltrataban a sus madres, o en los que ellos mismos fueron maltratados. Esto nos muestra cómo el abuso conyugal afecta a los hijos. Los niños aprenden que la violencia es un modo legítimo de expresar el enojo, la frustración, y el estrés. Las niñas aprenden a aceptarla y a vivir con ella, y se convierten en manipuladoras o abusadoras igualmente.

El abuso conyugal no afecta sólo a la familia involucrada. Los agentes policiales que responden a los llamados por violencia doméstica, a menudo son heridos. También pueden serlo otros parientes o los vecinos que intentan intervenir. Las mujeres suelen perder el trabajo por causa de las consecuencias del maltrato en su salud. Los hombres pierden su trabajo por causa de los arrestos. Muchas veces las mujeres necesitan atención médica y esto cuesta dinero. Si interviene la justicia, hay que tener en cuenta los honorarios de los abogados, de intérpretes en algunos casos, y el ausentismo laboral que ello implica. La intervención de personas ajenas al núcleo familiar enfermo suele agravar la situación ya que hay dos factores que afectan la percepción de la realidad: la indignación y la injusticia.

CAUSA O ETIOLOGÍA DE LA VIOLENCIA DOMÉSTICA

Mucho es lo que se ha escrito sobre este tema, en particular durante los últimos diez o doce años. Cada autor trata de darle una fisonomía desde su ángulo profesional: los sociólogos, sicólogos, teólogos, trabajadores sociales, y en fin, todos aquellos que se sienten cerca o atraídos por este tema que es parte de un mundo contemporáneo turbulento, agresivo, y de una sintomatología particular. Los años desde 1998 hasta el 2001 han sido años marcados por la violencia en escuelas públicas, de personas en su sistema familiar, y el efecto de las guerras en todo el mundo. Aunque se ha hablado largamente sobre la influencia de los medios de comunicación en la conducta de la persona, o de grupos de personas, esto es cierto en parte. Para este autor, todo lo que se ha escrito sobre la violencia familiar es cierto, en parte. ¿Por qué? Porque en la mayoría de los libros o en las descripciones de los diferentes autores todo está centrado en los derechos de las víctimas, en las descripciones detalladas de los abusos que reciben, y las leyes protectoras, pero cuando se habla de las causas que provocan están violencia se menciona el alcoholismo, la pobreza, causas sociales o educativas, etc. que es cierto en parte y cuando se puede comprobar que la violencia es ocasional y basada en dificultades de pareja y no como una manera cotidiana que la pareja marital tiene de relacionarse entre sí.

El autor Jesús Alfredo Whaley Sánchez en su libro *Violencia intrafamiliar en México. Causas biológicas, sicológicas, comunicacionales e interaccionales* hace la siguiente descripción: "El victimario, al ser también un actor social inmerso en un contexto general de violencia, no únicamente ha aprendido a justificar su conducta y a minimizarla frente a los demás, sino ocultarla incluso a su propia percepción. La familia, considerada el sistema nuclear de origen donde se confirma la socialización primaria de los individuos, no sólo no es como idealmente se cree, el refugio ante la violencia exterior, sino uno de los principales escenarios donde ésta se ejerce y donde existe mayor inmunidad para el agresor." En 1992 se creó el Centro de Atención Familiar a Víctimas de Violencia Intrafamiliar (CAVI) de la Procuraduría General de Justicia del Distrito Federal en México que entre 1992 y hasta 1998 ha atendido casos con un total de 108.392 personas involucradas, siendo 85,6 por ciento mujeres y 14,4 porciento hombres. Lo que demuestra también la existencia de violencia a los varones, principalmente menores de edad y adultos mayores, fenómeno que generalmente no es abordado.

La violencia intrafamiliar es la primera causa de muerte de mujeres en México. Siete de cada diez mexicanas son víctimas de golpes y amenazas, pero el 99 por ciento de los casos queda impune. Sólo seis estados mexicanos aplican la Ley en la materia, aprobada en 2007.

De acuerdo a la Comisión Nacional de Derechos Humanos (CNDH), la violencia contra las mujeres es la violación de los derechos humanos más habitual y extendida debido a las leyes laxas y a que el delito sólo se persigue por oficio cuando se trata de lesiones graves que ponen en riesgo la vida. Además de ello, sólo una de cada 10 víctimas acude a los juzgados a presentar una demanda, lo cual implica un grado de impunidad de casi el 90 por ciento.

Según datos del Fondo de Desarrollo de las Naciones Unidas para la Mujer (UNIFEM), a diferencia de hace tres años, cuando el 52 por ciento de las mujeres mayores de 15 años padecía algún tipo de violencia intrafamiliar –golpes, amenazas y relaciones sexuales forzadas–, el problema ahora está presente en siete de cada 10 de los 23,7 millones de hogares que el INEGI reporta en unión conyugal. Patricia Olamendi Torres, abogada y asesora de la UNIFEM-México, señala que la situación de violencia enfrentada por las mujeres está estrechamente relacionada con los mayores niveles de pobreza y creciente consumo de alcohol y drogas que aumentan la predisposición de los cónyuges o parientes a exhibir conductas agresivas o violentas. Precisó que de acuerdo a datos del Consejo Nacional Contra las Adicciones (CONADIC), cada año se suman al consumo de bebidas alcohólicas 1.700.000 mexicanos, en su mayoría jóvenes de entre 15 y 24 años de edad, en tanto que el consumo de drogas como cocaína, marihuana, y anfetaminas se triplicó en los últimos cuatro años, lo que ha incidido directamente en una escalada sin precedente de casos de violencia intrafamiliar. La Fiscalía Especializada para la Atención de Delitos contra las Mujeres destaca que por temor a represalias, abandono o falta de apoyo económico, sólo una de cada 10 agresiones físicas o verbales es denunciada. Sin embargo, hecha la denuncia, el desistimiento es de hasta el 90 por ciento, una vez que el agresor o sus familiares "convencen" a la víctima de retirar la demanda.

Un activo número de mujeres que habían sido abusadas, y de mujeres dedicadas a la causa de la violencia doméstica se reunieron en Missouri y participaron en grupo en el *Project Life* y definieron, desde su propia experiencia varios hechos envueltos en la violencia doméstica y desde su óptica de maltratadas, no de profesionales. Esto es lo que dijeron sobre características, actitudes, y conductas de los abusadores:

Un punto muy importante es que los abusadores son seres humanos y ellos se expresan en un amplio abanico de conductas. No todos los abusadores actúan del mismo modo, o usan las mismas tácticas, o tienen las mismas creencias. Sin embargo, la mayoría de los abusadores coinciden en muchos, algunos, o todas las acciones que enumeramos a continuación:

1. **Inseguridad**: Los abusadores sienten la necesidad de controlar todo a su alrededor, como una manera de enmascarar sus temores. Como una manera de tener el control, ellos controlan a ella.

2. **Temor de verse débil**: Los abusadores ven a la mujer como inferior al hombre. Ellos creen que ciertas cualidades de la mujer como cuidar, ser compasivas, ser sensibles, entre otras, son negativas. Por otro lado, los esfuerzos por lograr una legislación de apoyo a la mujer hacen creer que ellas son débiles y que necesitan de leyes adicionales.

3. **Extrema dependencia**: Extrañamente, mientras un abusador siente temor de mostrarse débil, él necesita asegurarse constantemente que todo está bien, y que ella no lo dejará. Él necesita que ella le diga que él está muy bien como hombre.

4. **Celos en extremo**: Algunos abusadores son muy celosos, y están muy interesados en saber dónde ella ha ido, qué es lo que hace, con quién habla. Ellos están muy interesados en ver cualquier interacción con ella que pueda hacerles perder el control sobre ella. Ellos pueden estar celosos de cualquier persona: amigos, familiares, niños, compañeros de trabajo, y lo que es más importante, de cualquiera que pueda tener un posible interés romántico con ella. Ellos asumen que ella puede establecer una relación con cualquier hombre disponible.

5. **Pobre control de los impulsos**: Los abusadores son impacientes. Creen que sus necesidades deben ser llenadas inmediatamente.

"Estoy enojado ahora." "Quiero tener sexo ahora." "La cena debe estar lista y los niños deben estar en calma ahora." Todo esto no es realista, una súper-mujer no puede cumplir con todas las necesidades de ellos cuando lo desean.

6. **Proyección de la culpa/vergüenza**: Nada es su culpa. Ellos culpan a otras personas, razas, religiones, y a su mujer de sus problemas.

7. **Testigos/Experimentaron abuso cuando niños**: Maltratar y abusar son conductas aprendidas. Muchos abusadores fueron abusados cuando niños o fueron testigos de la violencia contra sus madres. Para los hombres hay un claro patrón inter-generacional. Esto significa que los hombres que fueron testigos de abusos o fueron abusados cuando niños tienen una gran posibilidad de ser maltratadores y/o abusadores cuando sean adultos.

8. **Cambios repentinos de humor**: Los abusadores pueden estar muy alegres y casi sin solución de continuidad se tornan agresivos, o deprimidos o a cualquier otro estado. Viven en un mundo muy inestable y confuso.

9. **Esposa y niños como objetos**: Los abusadores ven a los miembros de su familia como objetos o posesiones. Creen que los miembros de su familia están ahí para llenar sus necesidades, no como individuos con sus propios deseos y necesidades.

10. **Pobres habilidades de comunicación**: Los abusadores tienen dificultades para expresar sus sentimientos, o su verdad. Usan la manipulación, las contradicciones o mentiras en sus comunicaciones.

11. **Pobre identificación de las emociones**: Los abusadores tienden a rotular todas sus emociones como ira en lugar de reconocer cada emoción por separado. Toman control de sus impulsos y de la responsabilidad personal de ser honestos acerca de sus emociones. Es más seguro para ellos mostrarse enojados, que parecer dispuestos a dialogar.

12. **Perdida de responsabilidad y de dar razón de sí mismo**: Los abusadores niegan la violencia, la minimizan y/o la justifican. Por ejemplo: "Yo no lo hice." "Sí, yo lo hice, pero no significa nada, ella se lastima fácilmente." "Yo lo hice, pero ella me pegó primero."

13. **Los abusadores rehúsan ser responsables de sus acciones.** Ellos lo pueden admitir y eventualmente disculparse pero en última instancia no sostienen su responsabilidad, lo cual es el primer paso para detener la violencia como victimario y comenzar el cambio de conducta.

14. **Conductas nocivas**: Resuelve las discusiones con intimidación y violencia. Retiene a la mujer y le impide que deje la habitación donde está, la empuja. Trata de intimidar con control y abuso. Esto incluye tratar de herir físicamente, hacerle dar vergüenza, restringirle la libertad, revelar sus secretos, dejarla sin apoyo, abandonarla, amenazarla con secuestrar los niños, y sugerirle que cometa suicidio.

15. **Abuso verbal**: Los abusadores dicen cosas crueles que puede herir gravemente a la otra persona. Degrada y minimiza la importancia de las palabras de su cónyuge. Constantemente la chantajea hasta con las cosas más pequeñas. Puede levantarla para conversar con ella a cualquier hora de la madrugada, o no le permitirá dormir mientras habla con ella por largo tiempo.

Además de lo planteado hasta aquí, existe un factor sicopatológico que veremos más adelante.

CARACTERÍSTICAS
DE LAS VÍCTIMAS

La situación más común entre las víctimas, es que en su mayoría son mujeres. Como personas maltratadas no tiene una característica única. Sin embargo, se ha podido determinar una lista de las características más comunes como resultado de su relación abusiva.

- **Pobre auto-estima**: Ha perdido la confianza en sí misma. No cree en sus derechos individuales y en su capacidad de conducir su vida según su criterio y habilidades.

- **Conducta co-dependiente**: Depende de su abusador para llenar sus emociones y necesidades físicas como comida, bienes materiales, y compañía. El abusador suele ser muy exitoso en restringirle toda interacción con los compañeros de trabajo, amigos, y miembros de su familia. En esta situación ella acepta el hecho que ella únicamente puede sobrevivir porque él llena todas sus necesidades emocionales, económicas, y físicas.

- **Minimización**: Ellas minimizan y niegan la intensidad y cantidad de violencia envuelta en cada evento. Hacen esto porque para ellas la situación es inexplicable: ¿Cómo alguien que la ama, puede hacer esto? Prefiere minimizar el abuso cuando es confrontada por amigas o familiares, porque es embarazoso o vergonzoso. Algunas mujeres maltratadas no creen que ellas hayan sido abusadas porque el nivel de violencia ha sido pequeño o no existió ("Él no me pegó").

- **Se siente responsable**: La víctima siente que es su falta por no haber corregido su propia conducta. Se culpa a sí misma de que él se enoje.

- **Esperanzada**: Ella cree que si encuentra la "causa real" de su violencia, ella la podrá detener. Desafortunadamente ella no podrá cambiar nada, aunque lo ame o aunque soporte el abuso.

- **Cree que nadie podrá ayudar**: Muchas otras víctimas creen que sus abusadores son muy poderosos y que nadie podrá intervenir en su ayuda.

- **Reacciones sicosomáticas**: Las mujeres abusadas sufren una variedad de enfermedades menores, muchas de las veces combinadas, como fatiga, dificultad para descansar, desórdenes del sueño, y dolores de cabeza. Tienen serios cambios en su libido, pero desarrollan una gran capacidad para actuar exactamente como él lo desea.

- **Actitudes tradicionales**: Ella puede desarrollar actitudes muy tradicionales con relación a la familia desarrollando el estereotipo de la familia feliz ("Hogar dulce hogar"). La energía emocional que usa en esta relación abusiva es enorme. Algunas veces estar en ciertas religiones refuerza la posición jerárquica del abusador.

- **Culpa**: La víctima se culpa a sí misma por fallar como mujer. Se siente culpable de una manera difusa. Está convencida que provoca el abuso y que es la única persona que lo puede salvar a él, en algún momento indefinido.

¿Por qué estas mujeres permanecen en una relación abusiva? la razón porque estas mujeres no dejan a su abusador es la misma que gobierna otras vidas: el temor de quedarse sola, a ser herida o asesinada, quizás el amor que pueda existir en una relación abusiva, o que algunas cosas puedan cambiar y todo se volverá mejor y hermoso.

Brevemente podemos nombrar otras características: dependencia emocional y económica, intensión de mantener la familia unida, culpabilidad, promesas de cambiar, temor a volverse loca como él se lo ha anunciado, sentirse sola y aislada, escasos recursos económicos –que significa no tener un lugar adónde ir– temor por sus hijos –si los hubiese– y temor a su propia muerte.

Pero hay una razón muy poderosa también para desprenderse de una relación abusiva: una vida libre de maltratos y abusos.

Diversas manifestaciones de la violencia doméstica

Cuando hablamos con las personas afectadas, y especialmente con los hombres, rápidamente nos damos cuenta que todos tienen una definición distinta para la palabra violencia. Algunos piensan que una bofetada, un empujón o un puñetazo, no es violencia, mientras que otras personas sienten que cualquier contacto físico colérico debe ser considerado como violencia.

Consideremos que para entendernos, cada vez que utilicemos términos tales como violencia debemos compartir la definición acerca de su significado. Cada lector podrá tener una definición propia acerca de la violencia, por lo tanto, me he propuesto presentar una definición para comenzar a trabajar:

¿Qué es violencia?

La Real Academia Española la define como: Acción violenta o contra el natural modo de proceder.

En el diccionario *Webster* encontramos algunos significados más: Violencia es ejercitar una fuerza física para lastimar o abusar de otro. Intensa, turbulenta o furiosa reacción que provoca una actividad negativa o destructiva.

Otros diccionarios agregan: El uso indebido de la fuerza física para herir o dañar personas o propiedades. Intimidación por el uso de la fuerza. Uso inapropiado de palabras que distorsionan el significado o su aplicación.

Intentemos nuestras propias definiciones: La violencia doméstica o intrafamiliar puede ser definida como una intervención hostil o agresiva con el fin de hacer daño o humillar para someter a otra persona.

La violencia es la intención de una persona de usar la fuerza física, verbal, o sicológica, o la combinación de ellas, con el deseo de poner fin a un conflicto. Esta violencia está presente dentro de la relación de dominio de un individuo hacia otro, empleando medios sutiles y/o evidentes para conseguir la apatía, sumisión, y anulación del otro.

Un número indeterminado de mujeres agredidas y de mujeres que fueron agredidas ahora dedicadas a la educación, realizaron en Missouri su aporte con esta definición:

"La violencia doméstica es definida como un patrón de conducta violenta y coercitiva que incluye ataques físicos, sexuales, y sicológicos, y también por otras formas de coerción que adultos y adolescentes usan contra su esposa o relación íntima. La violencia doméstica ocurre entre las parejas de adultos y adolescentes en relación íntima y en donde la persona agredida o la víctima están actualmente (o lo fueron previamente) novios, viven juntos, están casados o divorciados. Estas parejas pueden ser heterosexuales, homosexuales, pueden tener hijos o no, y esta relación puede ser de larga o corta duración."

La violencia es el abuso de autoridad y de la fuerza que algunas personas ejercen en la familia. Cabe reiterar, una vez más, que no siempre se usa la fuerza física; también puede tratarse de la manipulación verbal o emocional. Este abuso puede darse entre esposos, entre padres y entre familiares dentro del mismo hogar.

¿CÓMO FUNCIONA LA VIOLENCIA DOMÉSTICA?

Es una conducta instrumental con un propósito. Los patrones de la conducta del agresor abusivo están dirigidos a obtener la sumisión o el control de cada aspecto de la vida de la víctima de manera que los pensamientos y su vida independiente son cercenados de tal manera que la víctima venga a llenar, devotamente, todas las necesidades y requerimientos del agresor. El patrón descrito no es una conducta impulsiva o fuera de control. Las tácticas para el control de la víctima son selectivamente elegidas por el agresor.

Casi la totalidad de los abusadores, hacen uso selectivo de la violencia. No son violentos todo el tiempo, ni tampoco con todas las personas. Solamente entre un 5 a un 15 por ciento son abusadores fuera del hogar o con cualquier persona que no sea su conyugue o sus hijos. Esto demuestra el control que ellos ejercen sobre la víctima, y dónde y cuándo ellos agreden.

¿QUÉ TAN DOLOROSO ES ESTE PROBLEMA?

La violencia doméstica es uno de los crímenes menos denunciados en los Estados Unidos de América. Según un reporte del FBI solamente una de cada siete mujeres llama a la policía por ayuda. También el *Center for Disease Control*, informa que la violencia doméstica es la primera causa de lesiones y daños físicos en la mujer. Anualmente al menos el 30 por ciento de las muertes por homicidio entre mujeres, fueron perpetradas por su esposo o por la persona con quien cohabita. Desde otro ángulo, el 85 por ciento de los conyugues victimizados son mujeres. También 4,8 millones de violaciones y asaltos físicos ocurren anualmente entre parejas. De este modo, y en el periodo de un año, del total de mujeres que ingresan a emergencia en los hospitales, entre el 22 y el 35 por ciento traen heridas de todo tipo. Las estadísticas sobre a violencia doméstica muestra más lesionadas y heridas que la combinación de violaciones, accidentes de autos y asalto con la intención de robar. Una mujer tiene 75 por ciento más de posibilidades de ser asesinada cuando intenta dejar o ha dejado a su abusador.

Cuando hablamos de violencia doméstica, estamos aludiendo a varios tipos diferentes de violencia que además suelen estar combinadas:

1. La violencia física.
2. La violencia sexual.
3. La violenta destrucción de propiedades y mascotas.
4. La violencia sicológica o emocional.
5. La violencia espiritual.
6. La violencia social.

Definiremos ahora cada uno de estos tipos de violencia:

LA VIOLENCIA FÍSICA

La violencia física es probablemente la primera en la cual pensamos cuando hablamos de la violencia doméstica que incluye bofetadas, empujones, patadas, golpes de puño, heridas con armas u otros objetos.

Un hombre puede decir que tomar a su esposa de un brazo no es violencia. Sin embargo, es violencia si la fuerza física es empleada para obligar a alguien a hacer algo o ir a algún lugar en contra de su voluntad. "Ella me dio una bofetada en la cara." ¿Es eso violencia? Nosotros decimos que sí. No se justifica el uso de la violencia en nadie, salvo, quizás, en defensa propia y cuando es puramente defensiva. Además, alejarse de alguien requiere menos esfuerzo que comenzar una pelea, tomar venganza, o darle una lección.

El abuso y la violencia física se dan contra la esposa o el esposo, contra los hijos, entre hermanos, y contra los padres o abuelos.

La violencia o abuso sexual

La violencia sexual no solo ocurre entre extraños. De hecho, gran número de violaciones suceden entre individuos que se conocen.

Cuando alguien fuerza a otra persona a tener relaciones sexuales mediante la fuerza física, la amenaza, o la utilización de un arma, se lo considera una violación, y es una forma de violencia sexual. En los Estados Unidos se lo considera un crimen. Otras formas incluyen actividades sexuales forzadas exigiendo a la persona a realizar actos sexuales contra su voluntad, aunque ésta sea su esposa, o que estos actos sean extraños a las costumbres o deseos de la persona.

En varios estados de la Unión Americana es ilegal que un esposo obligue a su esposa a tener relaciones sexuales con él. Esto se denomina "violencia marital" y ha sido exitosamente probado en los tribunales.

Aunque en general las víctimas del abuso sexual pueden ser esposas, esposos, niños, familiares, recientemente ha comenzado a llegar a manos de los expertos casos de violencia sexual entre homosexuales, con predominio casuístico entre lesbianas (familiares o amistades). Esto ocurre quizás por el acercamiento personal, como ya se ha visto en las publicaciones de la especialidad. Como quiera que suceda, la violencia doméstica entre parejas homosexuales ha aumentado notablemente especialmente después que algunas personalidades del deporte o del cine llegaron a los tribunales con sus propios casos.

Las situaciones que suelen estar contenidas en el abuso sexual son: acciones y creencias que la mujer es un objeto sexual; presionar a su pareja para que se vista de una manera sexualmente explícita, más allá de lo que ella acepta; acusar a su pareja de tener sexo con cualquier hombre o mujer disponible; minimizar la importancia de los sentimientos de su pareja con respecto al sexo; criticar a su pareja sobre sus principios o actitudes sobre el sexo; insistir en caricias y acercamientos sexuales íntimos no solicitados o no aceptados; castigar a la pareja no dándole afecto y negándose a las caricias y a la actividad sexual; llamar a su pareja con nombres degradantes o peyorativos; forzar a su pareja a desnudarse y a bailar en esa situación; mostrar públicamente interés sexual por otras personas; tener relaciones con otra persona aun después de estar de acuerdo en una relación monógama; forzar a su pareja o actuar de manera coercitiva a tener sexo con él u otra persona; forzar o actuar de manera coercitiva con su pareja para tener sexo sin consentimiento; no consentir de manera evidente cuando ella busca tener sexo; manipular a su pareja de manera tormentosa, con rabia y coerción para obtener su sumisión; forzar a su pareja a tener sexo mientras ella está durmiendo, o cuando ella está enferma o herida después de una golpiza; forzar o ejercer coerción a tener sexo durante o después de un incidente violento; forzar o ejercer coerción a tener sexo con el sólo propósito de herir a su pareja o cometer actos sexuales sado-masoquistas.

La violación dentro de una relación de pareja, o sea el asalto por el esposo o su pareja están frecuentemente acompañadas por más heridas físicas que un asalto producido por un extraño. En una investigación realizada entre 400 mujeres abusadas, el 59 por ciento reportó que ellas fueron forzadas a tener sexo por su abusador (Walker, 1984). Aunque la mayoría de las víctimas no define el asalto sexual como violación, el motivo de la violación es siempre el deseo de tener el control y la sumisión de la otra persona. El acto de violar a su pareja significa una traición a la persona y la ruptura de la confianza en la relación amorosa establecida. Las mujeres asaltadas por sus parejas frecuentemente viven con la sensación de que serán acometidas nuevamente, y usualmente es lo que sucede. Muchas víctimas de violencia doméstica han reportado que sus parejas agresoras o abusadoras les demandan la actividad sexual inmediatamente después de haber sucedido la acción violenta de haberlas agredido, como prueba de que su pareja le ha perdonado por haberla asaltado.

Cuando una mujer es sometida a tener sexo por miedo o coerción, es violación.

LA VIOLENTA DESTRUCCIÓN
DE PROPIEDADES Y MASCOTAS

Hay un período en el que los dos protagonistas adoptan, sin darse cuenta, una actitud de renuncia que evita el conflicto: el agresor ataca con pequeños toques indirectos que buscan desestabilizar al agredido sin provocar abiertamente un conflicto. La víctima renuncia igualmente y se somete, pues teme que un conflicto pueda implicar una ruptura.

Entre ambos protagonistas se produce una especie de alianza tácita. Ambos se estudian, buscando el área débil del otro. La víctima se encuentra cada vez más apegada y el agresor es cada vez más dominante. Pero el agresor no busca romper la alianza tácita en este punto y la víctima sigue sumergida en la confusión, como anestesiada. La confusión genera tensión y nerviosismo y el agresor, en su acoso, llevado a niveles de sofisticación, desarrolla un lento y sistemático trabajo de destrucción no con la víctima sino con sus propiedades, como por ejemplo, rompiendo fotos de quienes le aman o le son muy amados, hijos, padres, un vestido muy costoso, que compró con dificultad para atender un evento muy especial, o con sus mascotas. Así elimina su gato o su perro, un canario o cualquier mascota con que la víctima había establecido una relación afectiva y de apoyo. Se trata de un proceso de destrucción inimaginable. Las víctimas no pueden creer lo que tiene lugar ante sus ojos. La condena a la impotencia puede ser una pena muy difícil de sobrellevar.

En esta situación, como en las demás enunciadas en este trabajo, el único medio de proteger a la víctima de las provocaciones directas o indirectas de su agresor perverso consiste en establecer rígidos mandamientos judiciales y evitar cualquier contacto entre ambas partes. Cuando la pareja tiene hijos y, sobre todo cuando éstos son objeto de manipulación, la víctima debe salvarse primero a sí misma antes de intentar protegerlos de la relación perversa. Esto supone no hacer caso de los comentarios que los hijos hacen algunas veces tratando que nada se modifique, y lograr que la justicia tome las medidas de protección necesarias para evitar los contactos personales que reactivan la relación perversa.

LA VIOLENCIA DEL VACÍO EMOCIONAL

El ser humano al nacer –y aún antes de nacer– viene con dos tipos de hambres o dos grandes necesidades: la necesidad de alimento y la necesidad de amor. Por eso al recién nacido, no basta con sólo darle leche, sino que hay que abrazarle y acariciarle. Y esto es exactamente lo que necesitan los miembros de la pareja. El amor es una elección. Y cada miembro de la pareja es responsable de las consecuencias de esa elección y debe hacer todo lo que esté a su alcance para evitar el vacio emocional.

El vacio emocional en una relación de pareja se establece cuando hay una total ausencia de manifestaciones amorosas, afectivas, y ausencia de contacto físico, sin palabras que expresen el amor. ¡Enormes bloques de silencio! Atacar con el vacio emocional es deteriorar, minuciosamente, la personalidad y autoestima del agredido. Es sembrar la soledad.

Cuando ese perfectísimo radar que poseen los miembros de una pareja no les permite leer en el rostro del otro el amor, o el respeto o la atracción sino que por el contrario, reporta frustración, desamor, resentimiento, se incrementa el dolor que hay entre ambos y surge un enorme y oscuro silencio. Todos estos sentimientos negativos van a impedir que llegue el amor de uno al otro y de ambos a sus hijos.

Si uno no tiene fondos en el banco, uno no puede hacer un cheque que tenga valor; si no hay amor entre los padres es imposible que llenen el corazón de su hijo. Y en ese sentido, en lugar de que los padres den, algunos esperan que los hijos les den. Muchas madres convierten a sus hijos en su esposo emocional, y esperan que ellos solucionen sus demandas emocionales. Así los padres en lugar de ser la fuente y dar agua de amor, la toman y con ello agotan la pequeña fuente de un niño que empieza a vivir.

La solución para estos padres es conectarlos primero con el río de agua viva, que no se agota, con Dios, quien en Cristo es la fuente última del amor, porque él es amor y lo reparte gratuitamente sin pedir nada a cambio. Pero ese amor que Dios les da lo tienen que cultivar entre los dos.

Evitar el vacío emocional es imperativo. Los adultos, como los niños, no pueden sobrevivir al vacío emocional, y el amor termina por agotarse en un tiempo excesivamente corto. Después, nadie podrá dar lo que no tiene. Ver Juan 4:1-14; Juan 7:37-38.

Violencia sicológica

Esta forma de violencia es la más difícil de explicar. Es más de lo que su nombre indica. Incluye la degradación mental, amenazas de violencia, control de las acciones del otro, o de su conducta, mediante amenazas sobre su persona o manipulación sicológica que puede ser una forma de lavado de cerebro. Esto se produce mediante humillaciones, insultos, burlas, amenazas, ataques contra la autoestima y manipulación del sentido de realidad de la persona. Es difícil separar el abuso emocional del abuso sexual o físico porque también se maltrata la autoestima y el sentimiento de integridad del ego.

En algunas ocasiones puede haber un abuso emocional separado del abuso físico y sexual, pero en cualquiera de las dos situaciones se afecta la vida emocional y sicológica de la persona. Es también muy significativa la cantidad de niños que son víctimas de abuso emocional por parte de sus padres.

La violencia espiritual

La violencia espiritual puede definirse como un ataque a la vida espiritual del individuo y puede provocarse de diversas formas: por ejemplo, mediante manipulaciones, donde se prometen favores espirituales que no se pueden cumplir, jugando con las aspiraciones o anhelos espirituales o privando a esta persona de sus derechos espirituales.

También hay violencia espiritual cuando se hace burla de la experiencia religiosa y no se le permite al otro ir a la iglesia de su preferencia, o en situaciones donde se obliga a la otra parte a participar en rituales que agreden sus creencias o van en contra de sus principios religiosos. Esto también implica violencia espiritual.

Violencia social

Es cuando el vínculo dominante restringe toda actividad social y la pareja es confinada a su propio hogar y no puede tener amistades. Esto ocurre también con los niños. Estos tipos de violencia tienen muchas situaciones en común: suelen ser usados como una manera de manejar el enojo, la tensión, y la frustración, y pueden tener serias consecuencias físicas y sicológicas. Todas violan la ley.

El ciclo de la violencia

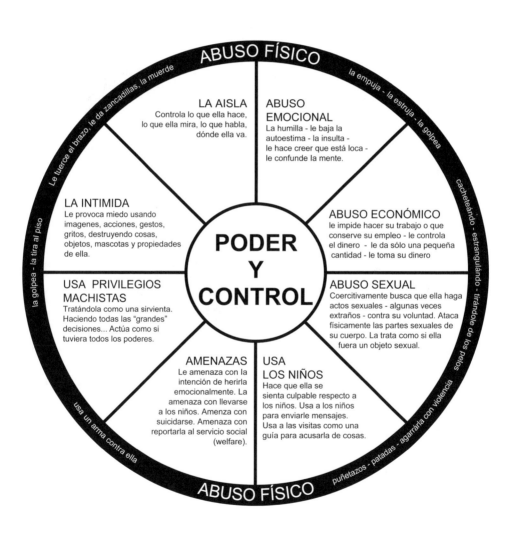

ABUSO FÍSICO

la empuja - la estruja - la golpea

cacheteándo - estrangulándo - tirándole de los pelos

puñetazos - patadas - agarrarla con violencia

usa un arma contra ella

la golpea - la tira al piso

Le tuerce el brazo, le da zancadillas, la muerde

LA AISLA
Controla lo que ella hace, lo que ella mira, lo que habla, dónde ella va.

ABUSO EMOCIONAL
La humilla - le baja la autoestima - la insulta - le hace creer que está loca - le confunde la mente.

LA INTIMIDA
Le provoca miedo usando imagenes, acciones, gestos, gritos, destruyendo cosas, objetos, mascotas y propiedades de ella.

ABUSO ECONÓMICO
le impide hacer su trabajo o que conserve su empleo - le controla el dinero - le da sólo una pequeña cantidad - le toma su dinero

PODER Y CONTROL

USA PRIVILEGIOS MACHISTAS
Tratándola como una sirvienta. Haciendo todas las "grandes" decisiones... Actúa como si tuviera todos los poderes.

ABUSO SEXUAL
Coercitivamente busca que ella haga actos sexuales - algunas veces extraños - contra su voluntad. Ataca físicamente las partes sexuales de su cuerpo. La trata como si ella fuera un objeto sexual.

AMENAZAS
Le amenaza con la intención de herirla emocionalmente. La amenaza con llevarse a los niños. Amenza con suicidarse. Amenaza con reportarla al servicio social (welfare).

USA LOS NIÑOS
Hace que ella se sienta culpable respecto a los niños. Usa a los niños para enviarle mensajes. Usa a las visitas como una guía para acusarla de cosas.

ABUSO FÍSICO

43

La tensión crece.
Aparecen la ira, las acusaciones,
y las discusiones.

Esta fase de calma no dura mucho.
Sin embargo, puede desvanecerse con el tiempo.

Puede durar de minutos a meses.

Calma, amorosidad, negación.
Se acercan, tiempo de culpabilidad y negación.
Minimizan los daños y se hacen promesas.

La víctima no puede hacer nada
para detener el ataque
una vez que éste comienza.

Erupsión violenta.
Sobreviene el abuso físico, el abuso sexual, amenazas y abuso emocional.
Usualmente todo comienza con un pequeño incidente.

- **Fase 1**: Acumulación de la tensión. Durante esta fase existe una tensión que puede ser resultado de las constantes discusiones, del silencio con que se tratan, o de las combinaciones de ambos. Esta etapa puede durar desde días hasta años.
- **Fase 2**: Episodio agudo de golpes. La violencia puede consistir en puñetazos, mordeduras, cachetadas, intentos de estrangulamiento, empujones, roturas de brazos y nariz, ojos negros o ataques con objetos que pueden lastimar. Esta fase puede durar minutos o días. La violencia termina porque la mujer se va, porque llama a la policía, porque el hombre toma conciencia de lo que está haciendo, o porque alguien necesita ser hospitalizado.
- **Fase 3**: Período de tregua y calma amorosa. Durante esta fase el hombre generalmente pide disculpas por lo que ha hecho. Está muy arrepentido, puede comprarle a ella flores y regalos, prometerle que nunca volverá a pasar, y a veces rogarle que lo perdone.
  La mujer generalmente lo perdona porque quiere creer que nunca volverá a ocurrir, aunque sabe que sí ocurrirá. Esta etapa se irá debilitando y la tensión poco a poco volverá a acumularse.
  El ciclo tiende a no romperse espontáneamente y puede conducir a una situación fatal.

Enojo, ira, y violencia

Cuando los hombres nos consultan, habitualmente les preguntamos: -¿Ha tratado de detener la violencia por sus propios medios?, y de ser así ¿qué ha hecho para ello? La respuesta que frecuentemente oímos es: -Sí, he tratado de resolverlo por mí mismo, intentando no enojarme."

Por esta razón es importante reflexionar sobre la <u>diferencia</u> entre el enojo y la violencia. Tanto el enojo como la ira son diferentes intensidades de una emoción. La violencia es una conducta.

El enojo es una emoción saludable. Es normal y natural que en el transcurso de la vida existan momentos en los que uno se siente enojado, irritado, fastidiado o incluso enfurecido o iracundo.

La violencia, por otra parte, es sólo una de las formas de expresar el enojo o la ira. Tiene, además, una larga lista de consecuencias negativas. Puede significar la pérdida de una relación o puede llevar al arresto, y definitivamente significa no quererse mucho a uno mismo, que es una actitud narcisista o egoísta, y por lo tanto uno no tiene capacidad de asumir el compromiso fundamental del amor conyugal.

Reconocer el enojo

Muchos hombres y mujeres llegan a la consulta de un terapeuta pensando que el enojo y la violencia son una misma cosa. Cuando quieren controlar su violencia, tratan de mantener su enojo bajo control. Intentar ocultar el enojo casi siempre lleva a la ira y a la explosión de violencia.

Cuando se expresa el enojo en el momento en que se lo siente, de manera directa y no intimidatoria, no se produce la acumulación de tensión ni la presión creciente que puede terminar en una explosión. El problema es que una gran mayoría de las personas no se dan cuenta cuando comienzan a enojarse, la tensión crece sin que sea registrada, y entonces se producen los estallidos de violencia. Una de las razones para esto es que la gente ha aprendido desde la infancia que expresar el enojo no es bueno (¿ni cristiano?). Por ello, la mayoría no le prestan atención al enojo, o tratan de mantenerlo oculto. Dado que la mayoría de nosotros aprendimos a ser intolerante con el enojo, es común que lo expresemos de forma poco saludable. La violencia es una de esas formas, pero hay otras, como expresar enojo tratando que nuestra pareja se sienta inferior o que nos esté tratando de victimizar. En realidad hay mucha creatividad para encontrar modos indirectos de expresar enojo.

El primer paso para entender nuestros patrones de enojo es revisar los mensajes que nuestra mente tiene del pasado (¿engramas preexistentes?).

Nota sobre los engramas: los engramas preexistentes fueron descriptos por Hermann Rorschach (1884-1922) como parte de su famoso Test de Roorschach, que se usa como técnica y método proyectivo de sicodiagnóstico, publicado por primera vez en 1921 y que alcanzó una amplia difusión no sólo entre las comunidad sicoanalítica sino en la comunidad en general. El test se utiliza principalmente para evaluar la personalidad. Consiste en una serie de 10 láminas que presentan manchas de tinta, las cuales se caracterizan por su ambigüedad y falta de estructura. Rorschach habló por primera vez de los "engramas preexistentes" como recuerdos, hechos, o acontecimientos que potencialmente evaden la memoria pero que se instalan de alguna manera en el subconsciente. En mi experiencia y en lo que veremos en este libro, es cómo funciona la formación del "ser violento" que se inicia como testigo vivencial de las acciones de violencia de sus padres en el hogar.

CONTROLANDO EL ENOJO

Como ya lo habrá deducido de las páginas anteriores, todos, incluido usted, nos enojamos. Es una emoción normal y saludable.

Sin embargo, si usted no puede controlar el enojo o lo que hace cuando lo siente, ese sentimiento puede derivar en violencia u otras conductas destructivas como el consumo de alcohol o drogas. El enojo no expresado produce una respuesta fisiológica. Los músculos se tensionan, puede aumentar la presión sanguínea y pueden aparecer dolores u otras respuestas somáticas.

Una de las ventajas que tenemos los seres humanos es que no siempre tenemos que ser víctimas de nuestras circunstancias o de lo que nos rodea. Tenemos el nivel de inteligencia que nos permite controlar las propias respuestas a las situaciones que no están bajo nuestro control.

¿Y cómo se puede controlar el enojo? La persona que está lidiando con su enojo, puede elegir cualquiera de las siguientes actitudes:

- Tragárselo
- Hacer del enojo una escalada
- Dirigirlo

Tragárselo es una actitud fácil de reconocer. Generalmente se formula en primera persona singular (yo) e incluye una negación, o compasión, pensamiento de baja autoestima, dudar de uno mismo, o una intelectualización.

Veamos un ejemplo de cada una de estas actitudes:

Negación	"No estoy enojado o perturbado"
Compasión	"No fue su intensión perturbarme"
Pensamiento de muy baja autoestima	"Esta vez fue demasiado lejos"
Dudar de sí mismo	"No tenía derecho a enojarme"
Intelectualización	"Yo sé que ella está tratando de hacerme enojar. No voy a enojarme"

Los que se tragan el enojo suelen deprimirse o aislarse. De cualquier manera, el efecto de presión lo llevará a un punto en que ya no puede negarse o engañarse y explotará.

Una escalada de enojo es fácil de identificar. Quienes toman esta actitud comienzan sus frases en segunda persona. Hacen preguntas tales como: "¿Por qué haces esto?" Culpan a la otra persona: "Me hiciste enojar, es tu culpa." Y usan insultos (idiota, infantil, etc.). Esta actitud como su nombre lo indica, consiste en escalar el enojo hasta llegar a explotar y a usar la violencia.

Dirigir el enojo tiene una fórmula simple, sin embargo es la más difícil de realizar. No se sabe con precisión por qué. Quizás se deba a que cuando niños nos enseñaron a engañarnos. La fórmula es la siguiente:

Estoy enojado porque_____
Quisiera que _____

Estas dos frases deberán ser seguidas de expresiones lo más claras y concisas posible.

Ejemplos:
Estoy enojado porque volviste tarde anoche.
Quisiera que me llamaras si vas a volver tarde.
Estoy enojado porque me gritaste en el restaurante.
Quisiera que esperaras hasta irnos o que bajes la voz.
Estoy enojado porque diste por seguro que yo me haría cargo de los niños hoy.
Quisiera que me avisaras con anticipación cuando necesites que yo me haga cargo de los niños.

Las personas que son directas para comunicar su enojo logran hacerse entender, se sienten más unidas, se comunican mejor, y generalmente sienten que pudieron conectarse de manera más personal, y quizás, más íntima.

En ese momento la persona se dio cuenta de que hubo ocasiones en las que aguantó, otras en las que escaló, otras en las que dirigió el enojo, y también otras en las que combinó algunas o las tres. Cuanta mayor conciencia tenga de lo que está haciendo con su enojo, mayor será el control que pueda ejercer sobre él.

El acto de reconocimiento y la toma de conciencia de que uno se está enojando hace bajar un grado el nivel de enojo. Reconocer y elegir una buena alternativa en ese momento, así como advertir que se necesita un espacio de tiempo para pensar, significa que la persona está controlando la situación y que está asumiendo los comandos de su vida.

APRENDER A PERCIBIR
EL ENOJO ANTES QUE CREZCA

COMO PERCIBIR EL ENOJO

Escuchar a alguien que está enojado es probablemente la experiencia más difícil que podamos imaginar. Puede afectar nuestra sensibilidad. La razón para ello es diferente para cada individuo. Algunos pueden no saber por qué, sólo saben que les provoca una fuerte reacción. A continuación citamos algunas razones por lo que la gente reacciona mal o a la defensiva cuando alguien le dice que está enojado. Una razón es que el hombre cree que ella está tratando de decirle algo sobre él a través del enojo. Cuando el hombre recibe de su esposa el mensaje de que está enojada, él recibe el mensaje completando la frase de esta manera: -Cuando ella me dice que está enojada, en realidad lo que me quiere decir es que soy un estúpido. Créase o no cuando una persona dice que está enojada o enojado, eso sólo significa que está enojada o enojado, nada más.

Los que escuchan son los que le atribuyen otro significado al enojo. Si alguien cree que la gente trata de decirle algo más cuando expresa enojo, la vida se le va a ser muy difícil. Significa que esa persona nunca confiará en que los demás puedan ser honestos con ella o con él. Una forma extrema de esta situación se llama paranoia. Todos nos comportamos de manera un poco paranoica alguna vez. Pero debemos recordar permanentemente que el enojo, nada más y nada menos, es enojo. Al igual que todas las emociones, pasará si la aceptamos. Por el contrario, si la combatimos, nos perturbará por mucho tiempo.

Algunos hombres responden al enojo en forma defensiva porque les recuerda situaciones de enojo en el hogar de sus padres. Otros porque ven la discusión como una situación en la que se gana o se pierde, en que alguien tiene la razón y alguien está equivocado. Nosotros creemos que la gente discute, no porque uno tenga la razón y el otro esté equivocado, sino porque las personas son diferentes. Y dado que son diferentes, tienen también expectativas diferentes en una relación. Las personas hacen cosas distintas y hasta ven cosas de modo distinto. Si usted pone a una pareja frente a medio vaso de agua, uno de ellos le podrá decir que está medio lleno, y el otro que está medio vacío. ¿Quién tiene la verdad? Ambos: cada uno lo ve desde su perspectiva. Lo diferente no es necesariamente malo. Es sólo diferente. Otra razón por la que los hombres pueden reaccionar de manera defensiva al oír críticas o enojo de otros es porque tal vez se trate de características que les disgustan a ellos mismos.

EL ENOJO EN LOS HOMBRES

A lo largo de los años nos hemos dado cuenta que la mayoría de los hombres sólo son consientes de los niveles altos de enojo, los que en una escala de 1 a 10 van del 5 al 10. Esto es porque la mayoría de ellos aprendieron a tragarse los niveles bajos de enojo, los que van del 1 al 4. Esto se debe a que la mayor parte de los hombres no considera que el menor nivel sea enojo, sino que lo llaman irritación. Sin embargo, sí es enojo. De hecho son estas irritaciones que nos tragamos las que se acumulan persistentemente hasta que explotamos por una razón aparentemente tonta o pueril. Esa razón es la gota que rebalsó el vaso.

Es nuestra opinión que cuando mejor aprendamos a reconocer y a expresar el enojo de nivel bajo, será menos probable que explotemos por lo que pareciera una razón insignificante.

El siguiente es un ejercicio para reconocer el nivel de enojo. Prepare una lista y clasifíquela del 1 al 3, del 4 al 6 y del 7 al 10. Por debajo de cada uno de los tres niveles agregue a la lista palabras que a su entender mejor describen el nivel de enojo que usted puede reconocer. Por ejemplo:

Nivel de enojo

1-2-3	4-5-6	7-8-9-10
Irritado	Enojado	Enfurecido
Ofuscado	Caliente	Furioso
Fastidiado	Loco	Explosivo

Así verá que existen varias palabras para describir un sentimiento de enojo. Use la palabra que usted prefiera, aún dentro de su propia cultura, pero esté seguro de tomar un tiempo para pensarlo y registrarlo.

EL ENOJO EN LA MUJER

Sabemos que cuando hay violencia recurrente en una relación, la persona atacada siente un enojo muy grande y mucho resentimiento, pero se encuentra en una situación muy difícil porque si expresa sus emociones, volverá a ser golpeada. Si no lo expresa de manera directa, se manifestará de modos indirectos, como alejamiento emocional o sexual, el sarcasmo, la burla, quejas, irritación constante, o no cumpliendo con lo que se compromete. Estas formas indirectas de expresar el enojo también terminan en pelea. No es difícil ver por qué las mujeres se terminan deprimiendo hasta el punto de abandonar la situación.

El enojo en la mujer, por lo tanto, termina convirtiéndose en las características colaterales de la víctima. Tiene perdidas de su confianza en sí misma, no conoce su capacidad de hacer, simplemente trata de que no la golpeen de nuevo, y busca maneras indirectas de expresar su enojo, muchas veces como parte de su propia manera de tomar venganza o de aceptar que puede hacer algo. Por ello trata de mostrarse lo menos atractiva posible. Estimula su co-dependencia y su reacción es restringir su interacción con el abusador y con las actividades fuera del hogar, así le entrega un listado de productos para que él haga sus compras en el supermercado -que a él no le gusta nada- pero lo hace como lo que cree es parte del control. Así ella minimiza y niega la cantidad e intensidad de la violencia que pueda generar desde ella misma pero puede llegar a arrojar objetos y romper vajillas pero no contra el abusador, sino en la soledad de su hogar. Ella piensa que le está dando una lección a él y lo hace responsable. Al mismo tiempo busca la causa real de la violencia fuera de sí misma, pero cree que nadie le puede ayudar. Así va llenando su ser de tensiones y desprecio. En este punto se producen reacciones típicamente registradas en la policía: prepara con tiempo una maleta y se va cuando él no está, o cuando está durmiendo; le provoca serias heridas como consecuencia de un incendio o lo mata.

COMUNICAR LO QUE SENTIMOS

Hemos estado hablando anteriormente acerca del enojo, de cómo reconocerlo y manejarlo. El enojo es sólo uno de los sentimientos que experimentamos cada día. Sabemos que los sentimientos sirven a un propósito definido y que suelen aparecer cuando menos lo esperamos. Veremos ahora sobre la naturaleza de los sentimientos y sobre cuál es su utilidad en la vida cotidiana.

Fernando nos fue enviado por la Corte de Familia para tomar sesiones de terapia. Había tomado a su mujer por los pelos para luego tirarla al piso de la cocina durante una discusión cuando cenaban. Este era el tercer episodio en algunos meses. Su esposa llamó a la policía que lo arrestó. En vez de la cárcel y una multa, Fernando tuvo la opción de recibir terapia. El la aceptó porque le preocupaba que su conducta estuviera fuera de control. Mientras conversábamos, Fernando protestó por la injusticia del procedimiento penal. Cuando le preguntamos que sentía por el arresto, contestó: -Lo siento como injusto.

A medida que avanzamos en la conversación se hizo claro que Fernando usaba el término sentir de manera diferente. Cuando explicamos esta diferencia resulta claro por qué tantos hombres tienen dificultades para hablar sobre sus sentimientos.

¿Qué son los sentimientos? Los sentimientos son una respuesta emocional interna a una experiencia determinada y nos hablan del valor que esa experiencia tiene para nosotros. Hay muchas palabras para describir los sentimientos: extasiado, frustrado, atemorizado, alegre, enojado, deprimido. Todas ellas describen respuestas emocionales internas a circunstancias que percibimos a través de nuestros sentidos

Algunas palabras describen los grados de esos sentimientos. Por ejemplo, <u>irritado</u> quiere decir <u>un poco enojado</u>. Mientras que <u>indignado</u> quiere decir <u>muy enojado</u>. Otras palabras combinan diferentes sentimientos: <u>turbado</u> puede significar <u>enojado y herido</u>, por ejemplo.

Esto era parte del problema de Fernando. Al tratar el problema salió a la luz que él tenía una combinación de sentimientos y no sabía cómo ordenarlos.

Cuando tenemos una respuesta emocional a algo, estamos evaluando lo que significa para nosotros. La mayoría de los hombres aprenden desde pequeños a hacer evaluaciones utilizando sólo medios racionales: el pensamiento, es decir que ven algo y suman los pro y los contras. Luego emiten un juicio sobre lo que esto significa. Por lo general dejan de lado la respuesta emocional, y sobreviene el pensamiento creativo.

El pensamiento creativo es una forma del proceso mental cuyo resultado es la producción de juicios y conclusiones prácticamente nuevas. Por lo tanto, pensar y sentir pudieran ser dos modos distintos de hacer la misma cosa, sin que esté correcta la expresión. Fernando usaba la respuesta racional: sumó los hechos y decidió que era injusto. Sin embargo dijo que sentía que era injusto. ¿Tiene eso sentido? La injusticia no es un sentimiento. A nuestro parecer, los sentimientos de Fernando estaban confundidos y no sabía cómo describirlos con precisión. Terminaba expresando sentimientos en términos de pensamientos. Es algo muy común entre los hombres confundir los sentimientos con los pensamientos o con la observación.

"Siento que fuiste injusta"
"Siento que estás por abandonarme"
"Siento que estás tratando de hacerme enojar"

Estas afirmaciones en realidad quieren decir yo pienso más que yo siento. Una buena forma de distinguirlos es reemplazar la palabra yo siento por yo pienso. Si tiene sentido, entonces es más una expresión de pensamiento u observación que una expresión de sentimientos. Podemos ahora cambiar las frases de la siguiente manera:

"Pienso que fue injusto que llamaras a la policía."
"Me siento herido porque llamaste a la policía."
"Pienso que estás por abandonarme."
"Me siento triste porque estas por dejarme."
"Pienso que estás tratando de enojarme."
"No me gusta lo que me estás diciendo."

El objetivo de expresar los sentimientos es comunicarles a los demás cómo experimentamos el mundo, es decir, cómo nos afecta lo que los demás nos dicen o piensan.

Cómo protegerse
de la violencia

Golpear a alguien es ilegal. Es un crimen de asalto y agresión, sin importar a quién se golpee. La policía puede llevar detenido a alguien por golpear a la esposa o a otros miembros de su familia. Y esto tiene una variada gama de términos y posibilidades, que de acuerdo al interés de cada uno, hay diferentes vías de acción.

La policía llega al lugar de los hechos, porque uno de los participantes le llama, un familiar o un vecino.

Si la persona llega a la consulta médica o a un hospital, los médicos informarán a la policía.

En la mayoría de los estados, el pastor o el terapeuta tienen la responsabilidad de denunciar la violencia.

Si la víctima es un niño o un anciano la situación es más grave.

Es nuestra experiencia que una vez que se detiene la violencia en la relación, salen a la superficie otros problemas como dificultades de comunicación, lucha por el poder, diferencias en las relaciones transculturales, ya sean de diferentes países o inter-raciales, dependencia en exceso, y posesividad. No se trata de intentar una terapia demasiado rápida. Para que pueda funcionar, es necesario que se haya detenido la violencia, y para ello, tanto el hombre como la mujer deben asumir su responsabilidad personal.

Esto también le dará la fuerza necesaria para dar el primer paso hacia una relación positiva.

A pesar que el acoso moral es una de las formas más destructivas en una relación, sin embargo lo moral no puede ser medido, por lo tanto el sistema de justicia no puede legislar sobre este asunto, y poner distancia puede ser la mejor solución a un desenlace fatal.

Una información muy importante con respecto a lo que la víctima puede hacer y obtener: En octubre del 2000, el congreso de los Estados Unidos aprobó una ley migratoria para proteger a las víctimas de delitos que cooperen con investigaciones policiacas. La idea era terminar con el silencio dentro de las comunidades de indocumentados que temen reportar los delitos a las autoridades. Ahora, basadas en esta ley, las autoridades migratorias pueden otorgar anualmente hasta diez mil visas "U" a víctimas de delitos. Las visas tienen una duración de cuatro años. Durante ese periodo pueden solicitar su residencia y pedir visas, a su vez, para hijos y parientes que clasifiquen. Los solicitantes de visas "U" deben mostrar la documentación que pruebe su cooperación con las autoridades. A continuación los delitos que incluye la visa "U":

- Secuestro
- Abuso sexual
- Chantaje
- Violencia doméstica
- Extorsión
- Agresión
- Mutilación genital
- Incesto
- Servidumbre involuntaria
- Prostitución
- Violación
- Asalto sexual
- Tráfico humano
- Tortura

En el año fiscal del 2009 el gobierno federal concedió 5.825 visas "U", la mayor parte a víctimas de violencia doméstica. Durante los primeros cuatro meses del año fiscal del 2010, se concedieron 4.987 visas "U". Otros 6.528 casos seguían pendientes. Las estadísticas son nacionales y no se desglosan geográficamente. Las solicitudes de estas visas requieren un reporte oficial certificado de la cooperación de la víctima con las autoridades. También se debe incluir un testimonio escrito de la víctima acerca de la violencia en que estuvo envuelta y de sus sufrimientos.

DESÓRDENES DE LA PERSONALIDAD

CAUSAS DE ORIGEN SIQUIÁTRICO

Se pueden incluir conceptos tales como la personalidad del agresor, el alcoholismo, la drogadicción, y las enfermedades mentales, y se puede decir que la persona que hace violencia sobre otra está mentalmente enferma y por lo tanto tiene una conducta patológica.

Pero no conviene generalizar. En las noticias el lector podrá ver cómo el enojo puede llevar a la violencia al padre contra su hijo que está llorando. El padre sacude de tal manera al niño que éste termina muriendo por traumatismo cerebral. Para la mayoría, esto confirma una conducta patológica que reacciona ante ciertas circunstancias. Aunque no es motivo de este trabajo, es importante destacar la obra publicada por Fernández-Montalvo y Echebarua que ha contribuido a dar un preciso perfil sicológico como resultado de una investigación realizada con aquellas personas que han maltratado a su pareja, tanto las que están en prisión cumpliendo una condena por haber cometido un delito especifico y grave de violencia contra su pareja como aquellas otras que continúan viviendo con su pareja (Fernández-Montalvo y Echebarua, 1997), (Echebarua, Fernández-Montalvo y Amor, 2003), (Fernández-Montalvo, Echebarua y Amor 2005).

Veamos primero qué es el desorden de la personalidad. El desorden de la personalidad incluye aquellos aspectos del pensamiento, el humor, y la conducta de una persona que afectan su relación con los demás. Las diferencias en el estilo de la personalidad agregan color y variedad a las relaciones, pero pueden volverse demasiado extremas, inflexibles, e inadaptables. Estos rasgos pueden desmejorar significativamente la habilidad de las personas para su funcionamiento. Cuando una persona no es capaz de conducirse constructivamente con las otras personas, o no es capaz de adaptarse a las demandas cambiantes en el medio donde socializa, se dice que esa persona tiene un desorden de personalidad (las siglas en inglés de esta asociación en Estados Unidos son: TARA APD, *Asociación para el Avance en el Tratamiento y la Investigación en Desórdenes de la Personalidad*).

¿Cómo ocurren o se desarrollan los desórdenes de la personalidad?

Por supuesto que hay más preguntas que respuestas y no hay mucho definido, pero las últimas investigaciones indican que los desórdenes de la personalidad tienen una base biológica en el sistema de regulación emocional que puede ser debido a factores genéticos, y medioambientales, o a la combinación de estos factores. Las vulnerabilidades biológicas aumentan el riesgo de desarrollar alguno de los desórdenes de la personalidad con la incidencia de ciertos factores como estrés prenatal, infecciones, déficit nutricional o acontecimientos extremos durante el desarrollo familiar temprano. Miembros de la familia pueden tener problemas de adicción, depresión aguda, distimia o de enfermedad bipolar. La serotonina es el mensajero químico (neurotransmisor) y tendría una función importante en la regulación del humor, la agresividad, los impulsos, y la conducta suicida. La anormalidad en la función de la serotonina en el cerebro parece estar relacionada con la disminución de la capacidad para el control de los impulsos y esto aumenta los riesgos en forma sostenida para el suicidio o en la capacidad de controlar la agresividad. Por otro lado la dopamina es otro neurotransmisor del cerebro que está involucrado en la regulación de la conciencia del medio ambiente y de otros procesos elevados de la información que entra o sale del cerebro. La función anormal de la dopamina en el cerebro pudiera estar involucrada con las dificultades de la persona en relacionarse con otras personas, con el aislamiento social y con la distorsión de la percepción del mundo que le rodea. Es frecuente encontrar estos desórdenes ante la presencia de situaciones traumáticas severas en las etapas tempranas de la vida, como negligencia, abuso, y abandono de sus padres o de quienes le cuidaron, también cuando encontramos en los padres antecedentes de padecimientos de enfermedades mentales graves y crónicas.

Si el pastor o consejero en su juicio piensa que algunos de estos trastornos de la personalidad están presentes en el agresor, su inmediata decisión será proteger a la víctima y tomar las medidas legales apropiadas. Aquí la posibilidad del perdón sigue existiendo en beneficio de la víctima pero nunca como una manera de permitir la cohabitación de la víctima y el victimario.

De acuerdo con el Departamento de Justicia de los Estados Unidos, entre 1998 y 2002, se produjeron 3,5 millones de crímenes violentos contras miembros de una familia, el 49 por ciento de estos crímenes fueron en contra del cónyuge. El 84 por ciento de los cónyuges abusados fueron mujeres, y el 86 por ciento de las víctimas fueron mujeres abusadas por su esposo o amigos íntimos.

Éstas y otras investigaciones muestran una gran diversidad en este tipo de sujetos. Y aunque no disponemos de una clasificación científicamente fundamentada, podemos referirnos a las siguientes tipologías. Los abusadores pueden ser:

- Personas machistas
- Inestables emocionalmente y dependientes, que se vuelven peligrosos si la mujer termina con la relación.
- Adictos al alcohol o las drogas, en donde la adicción actúa como un des-inhibidor.
- Hombres con un desorden mental que disfrutan pegando, o que al menos, no tienen inhibiciones para hacerlo. En este sentido, se ha comenzado a identificar desórdenes de la personalidad en la población de agresores, sobre todo de aquellos que están en prisión. Así los más frecuentemente descritos son el desorden antisocial, el fronterizo (*borderline*), y el narcisista.

La población base de este estudio fueron 76 hombres condenados por un delito de violencia grave contra la pareja que previamente habían sido medidos y evaluados por el *Inventario Clínico Multiaxial de Million* (MCMI-II por sus siglas en inglés), y también mediante la Escala de Sicopatía (PCL-R por sus siglas en inglés). Los resultados obtenidos en este estudio fueron clasificados de la siguiente manera:

El 86,8 por ciento de la muestra de agresores presentaban al menos un trastorno de la personalidad. El trastorno de mayor prevalencia fue el trastorno obsesivo-compulsivo de la personalidad, que afectaba al 57,8 por ciento de los casos, seguido del trastorno dependiente de la personalidad (34,2 por ciento de los casos) y del trastorno paranoide (25 por ciento). En cuanto a la sicopatía, los resultados mostraron que 11 personas (14,4 por ciento de la muestra) obtuvieron un resultado indicador de tendencias sicopáticas claras.

Sólo para agregar un poco mas de información, para una mejor comprensión, definiremos algunos de los desórdenes de la personalidad mencionados aquí.

Desorden de la personalidad obsesivo-compulsivo: se muestran inflexibles ante los cambios y se molestan si la rutina se ve alterada debido a su obsesión por el orden. Por consiguiente son ansiosos y tienen dificultades para completar las tareas y tomar decisiones. Se muestran incómodos en situaciones que están fuera de su control y como consecuencia tienen dificultades para mantener relaciones interpersonales positivas y sanas.

Desorden de la personalidad dependiente: dependen excesivamente de los demás para su validación y para la satisfacción de sus necesidades básicas. No son capaces de cuidarse a sí mismos correctamente. Les falta confianza y seguridad y tienen dificultad en tomar decisiones.

Desorden de la personalidad paranoide: estas personas suelen ser frías, distantes, incapaces de generar vínculos interpersonales cercanos. Suelen ser desconfiados de su entorno, no pueden apreciar su propia función en las situaciones de conflicto y proyectan sus sentimientos de paranoia en forma de enojo hacia los demás.

Desorden de la personalidad fronteriza: presentan inestabilidad en la percepción de sí mismos y tienen dificultad para mantener relaciones estables. Los estados de ánimo suelen ser inconstantes, pero jamás neutros, y perciben su sentido de la realidad en blanco y negro. A menudo piensan que los cuidados que recibieron cuando niños fueron insuficientes, y por consiguiente buscan incesantemente más atención de los demás en su vida adulta. Esta atención la logran manipulando a los demás, lo cual los deja sintiéndose vacíos, enojados, y abandonados, lo que los lleva a tener un comportamiento desesperado e impulsivo.

Desorden de la personalidad narcisista: presentan sentimientos extremadamente exagerados de autovaloración, grandiosidad, y superioridad en relación a los demás. Estas personas narcisistas suelen explotar a las personas que no los admiran y son demasiados sensibles a las criticas, juicios de valores, y fracasos.

Las características de las personas con los desórdenes enunciados más arriba los llevan a tener problemas con otras personas, como también dificultades en otros aspectos de la vida. Tienden a ser solitarios, aislados, ansiosos o dependientes, desarrollan dificultades interpersonales, y experimentan infelicidad. A pesar de sus diferencias de carácter entre una personalidad y otra, están ligados entre sí en tanto que el desorden causa problemas penetrantes en su ajuste social y ocupacional. Un grupo de estas personas tiende a no darse cuenta de su problema o a no preocuparse por ello (ego sintónico). El otro grupo reconoce su problema de personalidad, pero no puede hacer nada al respecto. Es importante destacar que los rasgos o comportamientos de estos desórdenes de la personalidad no están limitados a episodios de la enfermedad, sino que representan un funcionamiento a largo plazo.

CAUSAS DE ORIGEN SICO-SOCIAL

Se afirma que el 95 por ciento de las personas que están en las cárceles fueron abusadas cuando eran niños. Esto significa que dentro de esta causa el agresor o agresora sufrieron mucho y fueron abusados cuando niños y aprendieron, de esta manera, a responder con violencia (vea también Desórdenes de la personalidad más arriba).

CAUSAS DE ORIGEN SOCIO-CULTURAL

La violencia doméstica se percibe en función de la violencia presente en las diferentes comunidades durante sus actividades cotidianas y partiendo de la estructura social y sus diferentes aspectos como la dimensión cultural, migratoria, étnica, económica, política, etc., y todo lo que esto implica. En este punto debiéramos incluir las observaciones realizadas en las diferentes comunidades hispanas en los Estados Unidos. Esto es un aspecto que debemos aprender a discernir en cuanto al cuidado pastoral, y porque no, con respecto a nuestros programas de iglesias y consecuentemente de evangelización.

LA VIOLENCIA EN LA FAMILIA PASTORAL

Día a día se hace más evidente la aparición de la violencia familiar en el hogar pastoral. Parece un contrasentido y podría echar por tierra muchas posiciones teológicas. Pero es una realidad y se hace importante hacerla evidente hoy. Tiene una carga tan fuerte como la presencia del divorcio en la pareja pastoral. Y aún en estos casos, la violencia ha estado ahí de alguna manera antes de que el divorcio se establezca. Existe una presencia muy fuerte de hechos sicológicos derivados de ciertos factores que suelen estar presentes:

Hay un alto porcentaje (¿85 por ciento?) entre miembros del pastorado hispano en las diferentes denominaciones en Estados Unidos que, a pesar de sus deseos y esfuerzos, no han podido atravesar el sistema educativo formal, o sea un seminario denominacional, por la razón de que han ingresado al país sin haber finalizado estudios terciarios, sin suficiente inglés para hacerlo en este país, sin dinero para pagarlo, o porque ya tiene una familia que le exige un ingreso estable. Por todo ello las denominaciones tratan de proveerles de información sin mucho rigor, en cursos ocasionales y al que ya está trabajando como pastor, pero no a los dos miembros de la pareja. Esto nos ha permitido observar las siguientes situaciones:

- Su formación del mundo interno y educativo no siempre está completa para ejercer la tarea que le han encargado.
- Su visión de la imagen del pastor y de la esposa del pastor, como pareja y familia, está recién en formación, lo que afecta sus decisiones y criterios en la dirección de la iglesia.
- Mantiene cierto aislamiento de la denominación y se le hace difícil solicitar apoyo pastoral en lo personal o discutir asuntos teológicos con otros pastores o autoridades de la denominación.
- Hay ausencia de análisis y de comunicación en cuanto a la dirección de la iglesia por parte de las autoridades de las iglesias nacionales.

- La esposa tiene una gran influencia en las decisiones de la iglesia, lo que a veces suele reflejar una lucha de poderes.

- Hay diferencias en la intimidad de la pareja, especialmente con la aparición de los hijos y la imagen de familia modelo.

Llamamos la atención a este asunto porque es muy importante atenderlo adecuadamente.

POR CAUSA DEL PECADO

Las Escrituras afirman categóricamente que tanto los convertidos a la fe como los inconversos son pecadores desde su nacimiento. Todas las personas son dominadas por su pecaminosidad y pierden el control de sí mismas y tienden a agredir o abusar de otras personas. Aunque el creyente ha sido regenerado por la gracia y el poder de Dios, sigue todavía siendo pecador que vive las consecuencias de esa realidad. Lutero afirmó que el cristiano es justo y pecador al mismo tiempo. Es por esa realidad de pecado que la violencia también afecta a los creyentes y a la familia pastoral.

La palabra en el Antiguo Testamento que se traduce por pecado, viene de una palabra hebrea que significa perder o errar el blanco en términos de moralidad. El Antiguo Testamento también habla de iniquidad que se aplica a nuestra vida moral y significa que hemos torcido la voluntad y el camino intencional de Dios. Otro significado es transgresión, que se ve como un claro desafío a Dios. Pero sin lugar a dudas, el significado más importante es separado, que implica estar separado de Dios, da lo mismo que la separación sea de un milímetro o de un kilómetro, es simplemente aterrador. Reinhold Niebuhr señaló que la dimensión moral y social del pecado es la injusticia. El ego que falsamente se hace a sí mismo el centro de la existencia en su orgullo y poder de voluntad, inevitablemente subordina otra vida a su voluntad y de esa manera hace injusticia a esta otra vida.

Fue por causa de nuestro pecado que Dios apuntó estos mandamientos para facilitar las relaciones humanas:

No explotes a tu prójimo ni lo despojes de nada. No retengas el salario de tu jornalero hasta el día siguiente" (Levítico 19:13).

No seas vengativo con tu prójimo, ni le guardes rencor, Ama a tu prójimo como a ti mismo. Yo soy el SEÑOR" (Levítico 19:18).

En el libro de Éxodo figura al comienzo el conjunto de leyes promulgadas por el Señor en el Monte Sinaí y enumera brevemente los deberes fundamentales hacia Dios y hacia el prójimo. Dios ocupa el primer lugar pero el respeto debido a Dios es inseparable de la justicia y la fraternidad hacia el prójimo. Precisamente porque era el pueblo elegido por el Dios tres veces santo, Israel estaba llamado a ser una nación santa. Esta santidad debía extenderse a todas las esferas de la vida, a fin de instaurar un orden social justo y, por lo tanto, diferente de las demás naciones. Todo lo establecido en Éxodo 20 se basa en esta exigencia de santidad, cuya característica más notable es el marcado predominio de los mandamientos morales sobre los de carácter puramente ritual. Con el mandamiento del amor al prójimo culmina la serie de preceptos sobre la honestidad, la solidaridad, y la justicia entre los miembros de la comunidad. La palabra hebrea traducida por prójimo designa a una persona con la que se tiene una relación que no es de parentesco. El contexto da a entender que a este prójimo había que buscarlo únicamente dentro del propio pueblo. Jesús y los escritores del Nuevo Testamento le dieron a este mandamiento un alcance universal.

No pecamos en soledad. De alguna manera siempre hay otras personas que resultan afectadas por nuestro pecado. Digamos que la infección del pecado toma la totalidad de nuestra vida, en el trabajo, en la familia, en la iglesia, en nuestra vida personal y devocional, y en nuestra relación con los demás. Así también una enfermedad afecta a la totalidad de nuestra vida. Los médicos saben que la enfermedad que están tratando a su paciente ha tomado una dimensión de totalidad, que ha tomado posesión de todo el cuerpo de la persona. Y cómo esta persona piense o sienta acerca de sí misma, afectará, hasta cierto grado, el progreso de recuperación. La ansiedad, el temor, la tensión son intangibles al microscopio, pero llegan a ser muy reales en el tratamiento y la recuperación del paciente. Hoy hablamos de la medicina sicosomática, que tiene que ver con las emociones y el cuerpo. Sicosomática es una palabra formada por dos raíces griegas: sique que significa mente, espíritu o alma; y soma que significa cuerpo. De modo que sicosomático, es una palabra que nos recuerda que la mente y el cuerpo son inseparables. Así, la opinión hebreo-cristiana de la naturaleza humana es que el hombre es un cuerpo-alma.

El sentido de la culpa juega un papel muy importante en la vida de la víctima y el victimario en la violencia doméstica, que por supuesto afecta a ellos dos, a sus hijos y a las familias de ambos, y quizás vecinos, y compañeros de trabajo. Consideramos al hombre como pecador, y como tal, tanto en su dimensión individual como comunitaria, el hombre conoce la culpa aguda y auténtica. Como resultado de su pecado el hombre se enfrenta a la espantosa amenaza de muerte y destrucción. Es engañado o atrapado por su pecado, de modo que en vez de ser una peregrinación de fe, sus días sobre la tierra son como la rueda de un molino que terminan finalmente en muerte y destrucción. Así la víctima y el victimario de la violencia doméstica pueden estar atrapados por el pecado. El hombre ha sido atrapado por la trampa del maligno. Pero el dilema del hombre no es una situación sin esperanza. En Jesucristo, el Rey de reyes y el Príncipe de paz, Dios ha hecho algo para traer la liberación y redención a la humanidad perdida.

Pablo expresó esto muy claramente al escribir a los cristianos en Corinto: "Esto es, que en Cristo, Dios estaba reconciliando al mundo consigo mismo, no tomándole en cuenta sus pecados... por nosotros Dios lo trató [a Jesús] como pecador, para que en él recibiéramos la justicia de Dios" (2 Corintios 5:19-21).

La formación del mundo interior y la condición humana

Uno de los factores principales que tienden a destruir las relaciones interpersonales es el miedo como emoción. El miedo también puede destruir nuestra relación con Dios. El miedo es un obstáculo para la gracia de Dios. La culpabilidad y el miedo pueden ser paralizantes. La permeable y prolongada culpabilidad junto al miedo es el trabajo del súper-yo, un juicio emocional acerca de lo equivocado y lo correcto, no un verdadero juicio de conciencia.

Nuestras reacciones ante las situaciones extremas y negativas de nuestra vida que nos inducen a la violencia se deben enfocar desde un punto de vista del estudio del comportamiento humano y de las cualidades de nuestros instintos que nos pueden llevar a ser víctimas de nuestras propias necesidades básicas de a) sentirnos protegidos y seguros en nuestra supervivencia; b) sentirnos estimados y amados durante nuestras vidas; y finalmente c) sentir poder y control sobre nuestras acciones y las circunstancias que nos rodean. Estos tres puntos de motivación de la conducta humana que son parte del desarrollo de nuestros instintos y nuestras necesidades, hacen que nuestros pensamientos, sentimientos, y conducta graviten a su alrededor.

Estas condiciones básicas del ser humano son un componente de la condición humana y hacen parte de la formación de nuestro mundo interior, y junto a nuestras experiencias desde la niñez y nuestro desarrollo como persona forman parte de quiénes somos y seremos y cómo hemos obtenido de Dios el regalo de la vida siendo creados por el ser que nos ama de una manera maravillosa y nos redime de nuestros defectos y faltas a través de Jesús. Para hacer más comprensible lo anterior, agrego algunas definiciones que no serán temáticamente desarrolladas aquí.

El yo falso es lo que el ser humano desarrolló a su propia semejanza antes que a la semejanza de Dios. Es la imagen de sí mismo que él generó para enfrentarse con el trauma emocional a la edad temprana, y para tratar de encontrar la felicidad en forma instintiva, satisfaciendo sus necesidades de supervivencia, seguridad, cariño, autoestima, poder y control, basándose en sus experiencias en el hogar, afinidades culturales, y en identificaciones con su grupo social o comunitario.

El yo verdadero, en el sentido espiritual, es la restauración de la imagen de Dios mediante la obra expiatoria de Cristo. El yo verdadero se desarrolla de acuerdo a la imagen de Dios, mostrando su singularidad.

La condición humana es una manera de describir las consecuencias del pecado original que son: ilusión (no saber cómo encontrar la felicidad para la que hemos sido creados); concupiscencia (la búsqueda de la felicidad donde no puede ser encontrada); debilidad que produce la incapacidad de ir en pos de la felicidad donde únicamente puede ser encontrada por gracia.

Violencia doméstica y espiritualidad

La vida es difícil. Ésta es una gran verdad, una de las más grandes. Pero una vez que se acepta esta verdad, el hecho de que la vida sea difícil ya no importa tanto. La mayor parte de la gente no comprende cabalmente esta verdad, de que la vida es difícil. Por ese motivo no deja de lamentarse ruidosa o delicadamente de la enormidad de sus propios problemas, de la carga que ellos representan, y de todas sus dificultades como si la vida fuera en general una aventura fácil, o como si la vida debiera ser fácil. La vida es una serie de problemas ¿Hemos de lamentarnos o resolverlos? Lo que hace la vida difícil es el hecho de que el proceso de afrontar y resolver problemas es un proceso penoso. Los problemas, según la naturaleza, suscitan en nosotros frustración, dolor, tristeza, sensación de soledad o culpabilidad o remordimiento o enojo o miedo o ansiedad o angustia o desesperación. Éstas son sensaciones desagradables, a menudo muy desagradables, a veces tan penosas como cualquier dolor físico y en algunos casos igual a los peores dolores físicos. Ciertamente, a causa del dolor que los acontecimientos o conflictos provocan en nosotros, los llamamos problemas. Y como la vida plantea una interminable serie de problemas, siempre es difícil y está llena tanto de dolores como de alegrías.

Sin embargo la vida cobra su sentido precisamente en este proceso de afrontar y resolver problemas. Los problemas hacen que distingamos agudamente entre el éxito y el fracaso. Los problemas fomentan nuestro coraje y sabiduría. Por eso las personas sabias aprenden a no temer a los problemas sino que por el contrario los acogen de buen grado así como aceptan los dolores inherentes a los problemas.

Quien ama genuinamente conoce el placer de amar. Cuando amamos genuinamente, lo hacemos porque deseamos amar. El genuino amor es una actividad que se colma a sí misma.

Al principio decíamos que el amor es una elección, una acción, una actividad. Esto nos lleva a considerar la principal falsa concepción del amor que es menester corregir: el amor no es un sentimiento. Muchas personas tienen un sentimiento amoroso y, aún obrando en respuesta a ese sentimiento, actúan de manera destructiva y nada amorosa. Por otro lado, un individuo que ama genuinamente a menudo obra de manera constructiva respecto de una persona que conscientemente le disgusta, por lo que en ese momento no siente ningún amor, y a la que encuentra tal vez hasta repugnante de alguna manera.

El sentimiento amoroso es la emoción que acompaña a la experiencia de amar. La acción de amar es el proceso por el cual un objeto o una persona llegan a ser importante para nosotros. Una vez que la acción de amar llega al objeto (este comúnmente llamado objeto de amor) es cargado por nosotros como si fuera parte de nosotros mismos y esa relación entre nosotros y el objeto de amor, se llama amado/a. La concepción errónea de que el amor es un sentimiento se debe a que confundimos la acción de amar con el objeto de amor.

Por otro lado, el genuino amor implica dedicación y ejercicio de sabiduría. Cuando estamos interesados en promover el crecimiento espiritual de alguien sabemos que una falta de dedicación puede resultar dañina y que probablemente la otra persona sienta la necesidad de que nosotros manifestemos efectivamente nuestro interés. Por esta razón, la dedicación es la piedra angular de la relación sicoterapéutica. Las parejas, tarde o temprano siempre dejan de estar enamorados y en ese momento es cuando comienza a surgir la oportunidad de un genuino amor. El amor comienza a ser puesto a prueba y podrá establecerse si existe o no cuando los conyugues ya no sientan la necesidad de estar siempre juntos, o cuando pasan algún tiempo en otra parte. Amor es la voluntad de extender nuestra persona con el fin de promover nuestro propio crecimiento espiritual y el de la otra persona.

El genuino amor es volitivo antes que emocional. La persona que realmente ama, ama a causa de una decisión de amar. Esta persona se ha comprometido a amar, experimente o no los sentimientos amorosos. Si lo experimenta, tanto mejor, pero si no los experimenta, el compromiso de amar y la voluntad de amar aún permanecen. Los sentimientos amorosos pueden ser limitados, pero la capacidad de amar es ilimitada. Por lo tanto se debe elegir a la persona en quien se concentre la capacidad de amar, hacia quien se dirija la voluntad de amar.

El verdadero amor no es un sentimiento que nos sobrecoja. Es una elección reflexiva, de dedicación. La tendencia común a confundir el amor con el sentimiento de amor le permite a la gente engañarse de múltiples maneras. Un alcohólico, cuya mujer e hijos necesitan desesperadamente su atención, en ese mismo momento puede estar sentado en un bar diciéndole al barman con lágrimas en los ojos: "Realmente amo a mi familia." Así también una pareja ocasional, se dicen: "Te amo" en el momento del clímax, cuando en realidad luego no se volverán a ver, o sólo se verán en ocasiones. Claro que puede haber un interés personal en esta tendencia a confundir el amor con el sentimiento de amor. Es fácil y no del todo desagradable encontrar la prueba del amor en los sentimientos que uno experimenta. Puede ser difícil y doloroso buscar la prueba del amor en las propias acciones. Pero cómo el verdadero amor es un acto de voluntad, que trasciende con frecuencia los efímeros sentimientos de amor, es correcto afirmar: "Amar es proceder con amor." Amar y no amar, como el bien y el mal, son fenómenos objetivos y no puramente subjetivos.

La acción de Dios de enviar a Jesús para salvar a la humanidad es el ejemplo supremo del amor verdadero. En Dios no hay <u>sentimientos</u>, sino la buena voluntad de amarnos, aun cuando no lo merecemos. Esa capacidad de amar de Dios es ilimitada, e implica <u>dedicación</u> y <u>ejercicio de sabiduría</u>. La sabiduría que Dios ejerció fue la de delinear un plan histórico de salvación para la humanidad rebelde, y llevar a cabo en Cristo, cada paso de ese plan. Dios se <u>dedicó</u> de lleno en Cristo a obrar con gran sacrificio para lograr nuestra salvación. El ejemplo de Jesús, como amor personificado, o para decirlo en términos bíblicos, como amor hecho carne, permea la vida de los cristianos para que el amor entre ellos lleve la sabiduría que viene de Dios.

El apóstol Pablo, refiriéndose a la relación matrimonial, y en un lenguaje de amor -de ninguna manera legalista como muchos pretenden leer- dice a los efesios: "Sométanse unos a otros por reverencia a Cristo. Esposas, sométanse a sus propios esposos como al Señor… así como la iglesia se somete a Cristo. …Esposos amen a sus esposas, así como Cristo amó a la iglesia y se entregó por ella" (Efesios 5:21-25). El verdadero amor es sacrificado, y redunda en beneficio del amado.

Dado que muchos, aun dentro de la familia de la fe, no tienen claridad en cuanto a cómo vivir el amor de Dios para que éste se refleje en las relaciones interpersonales, conviene reconocer las turbias aguas religioso-espirituales en las que navegan. La apreciación del rol de religión y espiritualidad en el asesoramiento y el cuidado pastoral comienza con un doble desafío: alcanzar una claridad razonable en organizar los muchos y muy diferentes significados que la gente le adhiere a los términos de religión y espiritualidad, y comprender la importancia que espiritualidad y religión conlleva para muchísimas personas.

La mayoría de los cristianos (y judíos también) despliegan una compleja y algunas veces confusa gama de creencias. Estas creencias corren en un amplio abanico que van desde creencias tradicionales hasta fundamentalistas, y desde un realismo espiritual sin Dios a una creencia racionalista con una considerable inseguridad acerca de cualquier noción de Dios o cualquier realismo inmaterial.

La tarea del asesor espiritual es entender y aceptar la situación espiritual y emocional en la que se hallan las personas afectadas por la violencia. A partir de ese contexto, comenzará a edificar con el asesorado una estructura más limpia, bíblica, que lleve a la persona a entender y a aceptar que su situación sólo puede ser redirigida a una vida más plena mediante la obra de Cristo. Es necesario considerar que en general, en los momentos de dolor, y de violencia en particular, surgen muchas preguntas en las víctimas que no encuentran respuestas, o al menos respuestas satisfactorias que alivien su situación. Una de las características del asesoramiento pastoral y del cuidado pastoral no es quitar el dolor o aliviar el sufrimiento, sino ayudar al asesorado a encontrar a Dios en el sufrimiento.

Cuando escuchamos sobre violencia doméstica, la primera imagen que nos viene a la mente es la del matrimonio como centro de la vida familiar y quizás los más interactivos seres humanos en el contexto social. El matrimonio y la familia tienen su origen en Dios mismo. Pertenecen al orden de la creación. En otras palabras, no son instituciones distintivamente cristianas, no se inician con Cristo ni se limitan al ámbito de la iglesia, aunque Jesús reafirmó el matrimonio como institución divina (Mateo 19:4-6).

El matrimonio y la familia hoy más que nunca son objeto de mucha discusión. Mucho es lo que se debate sobre su naturaleza, su historia, sus funciones y su validez para el desarrollo del ser humano. Sociólogos y antropólogos tienden a ver el matrimonio y a la familia como instituciones sociales básicas. Hay otros que lo han interpretado como <u>accidentes históricos</u> en el devenir de la humanidad. Otros lo consideran como la raíz de todos los males, como algo que hay que extirpar para beneficio de la humanidad. Otros lo han visto como los espacios fundamentales para el desarrollo y la socialización de las nuevas generaciones. En épocas más recientes, se describe al matrimonio y a la familia como sistemas que se ajustan y se desajustan, que evolucionan y que buscan su equilibrio, que tienen el potencial tanto para enfermar como para curar a sus miembros, que confrontan problemas y que los resuelven.

Entre los escritos antiguos y modernos que se han expresado sobre el matrimonio y la familia, aún llama la atención lo que escribió San Pablo en su carta a los Efesios, capítulo 5, (citado anteriormente) un capítulo que relaciona Cristo-iglesia y hombre-mujer en un fluir dinámico que hace imposible separar una idea de la otra. Si leemos los capítulos 5 y 6 de Efesios, podemos tener un panorama claro de las enseñanzas de Dios a la familia, enseñanzas claras, bíblicas, un sistema de vida.

Qué puede hacer la iglesia

Una solución efectiva pudiera ser la acción conjunta de la iglesia con agencias comunitarias de su área. El pastor deberá informarse, además, qué servicios disponibles tiene en su parroquia para atender estos tipos de casos, y de éstos identificar claramente los que puedan ofrecerlos en español y con criterios cristianos. Deberá obtener una cita en la corte de familia local para saber cuál es la orientación en aspectos de violencia doméstica y qué pueden hacer de manera conjunta. Deberá visitar las agencies o casas de alojamiento transitorio para víctimas de violencia doméstica, conocer sus directores y trabajadores sociales, y establecer una manera de contactarse con precisión para víctimas de violencia doméstica ya que la dirección de donde estas casas están localizadas no están disponibles al público.

El pastor puede ofrecerse como capellán, hablar con su congregación para crear un sistema de apoyo sin preguntas, y en un segundo período, si la víctima y sus hijos son finalmente puestos en un alojamiento definitivo, puedan asistir a esa iglesia. Así mismo deberá tomar contacto con sicoterapeutas, sobre todo con aquellos que sean bilingües y bi-culturales para hacerles saber de su interés en ayudar en el problema y cuáles son sus preocupaciones e intereses pastorales.

Es necesario hacer un plan para el momento en que una familia de su congregación le llegue con el problema. Para ello debe aprestarse a educar a su congregación, iniciar un ciclo de reuniones sobre el tema e invitar a profesionales a hablar sobre el problema desde su punto de vista profesional. Puede invitar a un abogado, a un ayudante del fiscal, a la policía de su área, a trabajadores sociales, y a representantes de algunas de las agencias involucradas en el alojamiento de víctimas de violencia doméstica. Debe prepararse y preparar a su congregación a contestar preguntas y a expresar sus emociones.

En la iglesia se debe enseñar a sus miembros a cómo enfrentar en forma saludable las situaciones de conflictos. La gran mayoría de las situaciones de violencia doméstica ocurre en medio de un conflicto y porque las personas no saben cómo lidiar sanamente con tal situación. Muchas personas ante un conflicto se ofuscan y pierden su capacidad de razonar sanamente. No estamos sugiriendo que la enseñanza se desarrolle sólo desde el púlpito, ni que el pastor vaya a estar a cargo de toda la enseñanza. La iglesia debe abrir sus puertas a las víctimas de la violencia doméstica.

La violencia deja huellas muy profundas, tanto que algunas personas no han podido orientar su vida después del trauma de la violencia. La iglesia debe ser un lugar donde las víctimas se puedan sentir libres para expresar su dolor y experimentar sanidad. Muchas de las víctimas han estado buscando un lugar seguro donde puedan ser aceptadas y respetadas. En algunas iglesias las víctimas han formado un grupo de apoyo entre sí y esto puede ser muy terapéutico.

Cuando hablamos de violencia doméstica, siempre mostramos la víctima y el victimario. En muchos casos nos encontraremos con dos victimarios, sólo que uno tiene más fuerza, o una decisión ya tomada de agredir físicamente. Hay que tener mucho cuidado en las conversaciones para discernir claramente esta situación. La iglesia, además, deberá extender sus servicios a los victimarios. Esta acción requerirá amor, compasión, y sabiduría. No se debe juzgar rápidamente, ellos también necesitan ayuda, ya muchos quedan atrapados en sus problemas y en su culpabilidad.

Se está tratando con personas de muy baja autoestima, inseguras, y la iglesia puede hacer mucho para restaurarlas, individualmente, primero y familiarmente después.

La iglesia necesita informar a sus miembros sobre los recursos legales, sociales y sicológicos que están al servicio de las víctimas y victimarios de violencia doméstica. Los recursos generalmente son de varios tipos pero es importante mantener la información al día y las líneas de comunicación abiertas y accesibles.

La iglesia debe presentar el modelo bíblico de las relaciones maritales y familiares, versículos como Efesios Efesios 5:18-6:4 y Colosenses 3:12-21 resultarán muy claros y pueden ser motivos de varios estudios y trabajos de equipo.

La posibilidad del perdón

El título es intencional. El perdón es intencional. Es una decisión y una elección. Una posibilidad. La violencia doméstica es una carga emocional muy fuerte, y el perdón es el comienzo de la sanación en primer lugar para el abusado, siempre, y en algunas circunstancias puede funcionar para el abusador. Pero en todo caso el perdón no debe significar el regreso a la relación si no hay previamente un programa terapéutico y la supervisión de un profesional. Veamos por qué.

Sabemos que la violencia doméstica se produce en dos circunstancias diferentes. En una que llamaremos cultural y en otra que podríamos llamar siquiátrico. Esta clasificación es sólo para hacer comprender el peligro en un perdón apresurado sin una evaluación seria y profesional de la situación, sólo por el hecho de perdonar cuando está en peligro la vida de una persona.

Dentro de la clasificación cultural estamos involucrando la violencia doméstica ocasional, cuando una discusión pierde el objetivo, y de una discusión se va a los golpes. Esto puede suceder debido a que la mujer tiene más capacidad de pensamiento abstracto, que la beneficia en la discusión, en la que el hombre no quiere perder o dejar de imponer su criterio. Sucede también bajo los efectos del alcohol o las drogas, de la típica actitud machista, de una educación muy pobre, o porque se es hijo de un padre abusador. El hijo de un abusador es potencialmente un abusador. La persona abusada no debe dejar pasar ninguno de estos hechos. Puede llamar a la oficina de la policía para violencia doméstica quien de mutuo acuerdo supervisará un tratamiento. Una conversación con su pastor puede ayudarles a decidir a qué profesional visitar e iniciar un tratamiento supervisado. Como es una situación difícil, traumatizante e intrínsecamente peligrosa, sugiero involucrar a los padres por ambas partes y lograr que al menos un familiar esté con la pareja mientras se avance en el tratamiento para evitar que vuelva ocurrir otra agresión, excepto que el profesional indique, bajo su responsabilidad, que ya no hay peligro evidente.

La combinación de una persona borracha y con poca educación es una formula letal. La ira con alcohol es también otra fórmula de peligrosidad y con más razón cuando ya existió un acto de violencia anterior que hace que la intensidad de los golpes aumente y se pierda el control. Es sumamente necesario crear un cerco de protección evidente. La línea invisible que crea una <u>orden de protección</u> dada por un juez, es violada con mucha facilidad y la agresión cobra más intensidad y dureza, haciéndola más peligrosa. En los Estados Unidos, los jueces pueden ejecutar un <u>orden de protección</u> que es una orden legal que algunas veces es dada para conservar una situación sin cambios pendiente de una decisión posterior. También puede hablarse de una <u>orden de protección</u> que en ambos casos limita el acercamiento a la víctima, o a la casa u oficina donde la víctima vive o trabaja a una cantidad específica de distancia. Como se puede observar en las estadísticas y en los reportes policiales un solo golpe puede ocasionar una catástrofe.

Dentro de la clasificación <u>siquiátrica</u> comprendemos la violencia doméstica como parte de los trastornos o desórdenes de la personalidad. La combinación de cualquiera de los desórdenes de la personalidad con la violencia intrafamiliar es una fórmula con posibilidades letales.

Lamentablemente en la iglesia se registran casos como el de un asesor espiritual que obligó a la víctima a perdonar a su marido por la golpiza recibida, esgrimiendo principios bíblicos. No pasaron muchos días antes que la víctima fuera objeto de otra acción violenta por parte de su esposo, al punto de matar al bebé que llevaba en su vientre. El perdón es necesario para quitar la amargura del corazón, pero no implica un retorno a la convivencia como si nada hubiera pasado, ni implica sanidad de los desórdenes mentales.

Otras manifestaciones de violencia doméstica

Nos encontramos con otras manifestaciones de violencia doméstica, también graves pero menos conocidas o no vinculadas a la realidad de la violencia doméstica pero que involucra la relación de esposos, ex esposos, parejas íntimas, novios, y que por sus características producen temor, hacen que la persona se vea envuelta en una situación de persecución, de asecho o de acoso moral. Podemos clasificar las siguientes situaciones:

Acoso

De acuerdo con el *Stalking Resource Center,* en los Estados Unidos 1.006.970 mujeres y 370.990 hombres son acosados anualmente en algún momento de sus vidas, lo que significa que una de 12 mujeres y uno de 45 hombres son víctimas de un acosador. El 77 por ciento de las mujeres y el 64 por ciento de los hombres conocen a quien le acosa. El 87 por ciento de quienes acosan son hombres. El 59 por ciento de las mujeres víctimas y el 30 por ciento de los hombres víctimas son acosados por su actual o anterior relación íntima. El 81 por ciento de las mujeres acosadas por su actual o anterior relación íntima son también asaltadas físicamente. El 31 por ciento de las mujeres acosadas por su anterior o actual s íntima son también asaltadas sexualmente. Dependiendo de ciertas circunstancias, la duración del tiempo del acoso puede varias de 1,8 a 2,2 años, pero dependiendo de las circunstancias y la relación que existió o existe entre las dos personas, este acoso puede durar mucho más tiempo.

La víctima debe hacer la denuncia a la policía y dar el nombre del acosador. Debe poder comprobar fehacientemente que la persona la está acosando y que esta situación le provoca dificultades nerviosas. No debe esperar, y ni tratar de hacer nada por su propia cuenta, ni ponerse agresiva con el acosador. Simplemente se debe hacer acompañar por un detective de la policía.

Asalto sexual

De acuerdo al *National Violence Against Women Survey* (Centro Nacional de la Violencia en contra de la Mujer) las mujeres son mucho más frecuentemente víctimas de asalto sexual por hombres: el 78 por ciento de las víctimas de violación y asalto sexual son mujeres y el 22 por ciento son hombres. La mayoría de los perpetradores de violencia sexual son hombres. Entre los actos de violencia sexual cometidos en contra de la mujer desde la edad de 18 años, 100 por ciento son violación, el 92 por ciento son asalto físico, y el 97 por ciento de actos de acoso son perpetrados por hombres. La violencia sexual contra hombres es también, principalmente, ejecutada por hombres. En ocho de cada 10 casos de violación, la víctima conoce a su violador. De las personas que reportan violencia sexual el 64 por ciento de las mujeres, y el 16 por ciento de los hombres, fueron violados, asaltados físicamente o acosados por personas con las que mantienen o han mantenido relaciones íntimas. Esto incluye su actual o anterior cónyuge, o aquellos con quienes cohabitan. El 13 por ciento de las mujeres adultas han sido víctimas de una violación completa durante algún momento de su vida. El 22 por ciento de las víctimas de violación fueron asaltadas por alguien que nunca habían visto anteriormente o que no conocían bien. El nueve por ciento de las víctimas fueron violadas por su esposo o ex-esposo. El 11 por ciento fueron violadas por su padre o padre adoptivo. El 10 por ciento fueron violadas por su novio o ex-novio. El 16 por ciento fueron violadas por otros familiares no mencionados arriba y el 29 por ciento fueron violadas por no-familiares o vecinos.

Traficar con seres humanos

Las Naciones Unidas definen el tráfico de personas como el reclutamiento, transportación, transferencia, recepción de personas, que por el uso de la fuerza, coerción, secuestro, fraude o abuso de poder de personas en una posición de vulnerabilidad y en muchos casos al establecer una relación y bajo mentiras, obtienen el consentimiento o el control de la persona, y son llevadas a otro país para ser explotadas sexualmente, forzadas a trabajar, o prestar servicios, en una práctica similar a la esclavitud o también para removerle órganos. Se estima que entre 600.000

y 800.000 hombres, mujeres y niños son traficados a través de las fronteras internacionales al año. De las víctimas mencionadas el 80 por ciento son mujeres jóvenes.

LA VIOLENCIA EN EL LUGAR DE TRABAJO

De los 1,7 millones de incidentes de violencia que ocurren anualmente en los lugares de trabajo, aproximadamente 18.700 (1,1 por ciento) son cometidos por el esposo, o ex esposo, novio o ex-novio. Algunos abusivos victimarios tratan de que la mujer abusada sea despedida de su trabajo llamándole frecuentemente durante el día. Las investigaciones indican que el 50 por ciento de las mujeres abusadas que están empleadas son hostigadas, perseguidas o vejadas constantemente por su victimario. Si la mujer es despedida, se tornará más débil y eventualmente más dispuesta a sus requerimientos.

¿Es la violencia una condición preexistente? Ya habíamos hablado que la violencia produce muchos gastos, no solamente por las heridas que se pueden causar, sino además por el tiempo de trabajo perdido por la visita al médico, a la policía, al juez para obtener protección, etc. Pero además, en algunos Estados se considera a la violencia doméstica como una condición pre-existente con lo cual se le niega cobertura a quienes están en esta situación. Los Estados que permiten considerar la violencia doméstica como una condición pre-existente son; Idaho, Mississippi, North Carolina, North Dakota, Oklahoma, South Carolina, South Dakota y Wyoming.

Todas las variedades de violencia doméstica descritas hasta aquí dan lugar a un impacto sobre la salud de la víctima que puede llegar a ser devastador. La vergüenza, el temor, lo embarazoso de la situación hacen que la violencia doméstica sea ocultada por las mujeres y que éstas no estén dispuestas a hablar sobre el tema, y que los médicos no puedan detectar la situación, o que no puedan tratar la situación si la paciente llega con evidencias de los golpes recibidos.

Los investigadores están ahora mucho más dispuestos a poner la violencia doméstica a la luz de las situación de las familias y la violencia cotidiana, exponiendo la profundidad del problema y delineando su impacto en la salud de la mujer. Otros están encontrando vías más creativas para aliviar el problema, por ejemplo, proveyendo terapia para los hombres abusadores y también para las mujeres abusadas, que ya han desarrollado una cierta incapacidad por haber sido abusadas. De las 1.931 mujeres estudiadas, 47 de ellas (2,4 por ciento) mostraron dificultades sicológicas y síntomas físicos como diarrea, pérdida de apetito, dolor abdominal, y otras manifestaciones clínicas asociadas.

ALGUNAS MEDICIONES PARA AYUDAR A DETECTAR LA VIOLENCIA DOMÉSTICA

Se trata de implementar un examen que permita detectar la presencia de violencia doméstica y entrenar adecuadamente a los proveedores en cuidados de salud con lo cual se puede determinar una guía para obtener un cuestionario apropiado y así crear una evaluación apropiada. Por ejemplo, los profesionales pueden ser entrenados para ser preguntas objetivas, y en tono neutral (por ejemplo: ¿Se pelea usted con su esposo/a y eventualmente llegan a tocarse físicamente?). Hay que tratar de no usar palabras peyorativas, tales como víctima o asalto, con lo cual podría provocar una reacción sicológica negativa o contraria a continuar la conversación o inhibir la confidencia.

Otra manera podría ser incluir algunas preguntas en el cuestionario típico que se usa en la sala de espera de la oficina del médico. Ambas situaciones son interesantes y podrían ayudar en la detección de la violencia doméstica.

En algunos casos, el examen escrito suele ser menos embarazoso que el cuestionario cara a cara, pero sin duda alguna la aplicación de ambos cuestionarios usados con discreción pero de manera regular aumenta la posibilidad de conocer más sobre la violencia doméstica oculta. Se está trabajando en un cuestionario, que ya contiene 37 preguntas y que se llama *Partner Violence Inventory* (Inventario de violencia entre compañeros) pero probablemente será sólo aplicable en las oficinas del terapeuta o pastor consejero, por las características del cuestionario. Las preguntas no deben contener un lenguaje que se asemeje a un juicio ni tampoco términos como asalto o abuso o sus emociones y experiencia acerca de su actual pareja íntima o su más reciente y significante pareja sexual que usted tiene ahora. Las preguntas deberán ser neutrales, como ya dijimos, y no implicaran el sexo de la pareja íntima, esto surgirá oportunamente. Todas las preguntas deberán estar orientadas a detectar las víctimas de violencia doméstica y crear instrumentos que incluyan especificidad y evaluación de las múltiples formas de la violencia doméstica y que pueda a ayudar a determinar cualquiera de los tres tipos de violencia: física, sexual, y emocional. Para ello se están considerando los siguientes cuadros:

Cuadro 1
Condiciones físicas y sicológicas asociadas con la violencia doméstica:
• Embarazo.
• Abuso de alcohol o drogas.
• Conflictos matrimoniales.
• Problemas médicos
  (por ejemplo: enfermedad de trasmisión sexual).
• Problemas somáticos desconocidos o inexplicables.
• Desorden de estrés post traumático.
• Depresión y ansiedad.
• Actitud suicida o para-suicida (por ejemplo: cortarse las venas).

El cuestionario también requiere conocer la formas de la peleas que pueden aparecer como mutuamente instigadas y menos peligrosas que un asalto (por ejemplo; empujarse mutuamente, darse bofetadas, etc.) y saber en qué momento se produce la escalada de violencia a violencia extrema. También el cuestionamiento debe incluir reflexiones positivas relacionadas a aspectos de la relación de pareja, tales como calor y afecto para proveer un balance positivo y negativo entre las preguntas.

Cuadro 2
Inventario de violencia entre compañeros (*Partner Violence Inventory*-PVI). Ejemplos:

- Pareja con problemas de alcohol o drogas (nuestras peleas más grandes sobrevienen cuando bebemos).
- Asalto sexual (Yo le he dicho a mi pareja que no puedo tener sexo cuando no lo deseo, porque me da temor de él /ella durante una discusión).
- Calor y afecto (Nuestra relación es cercana y afectuosa).
- Asalto físico (Mi pareja me ha pegado y me maltrata).
- Pelea física (Nos arrojamos cosas uno a otro).
- Asalto emocional (Mi pareja me hace sentir mal porque según él/ella no puedo hacer nada bien).
- Minimización (Mi pareja y yo tenemos una relación perfecta).

Un estudio preliminar fue introducido en mayo de 1997 a la reunión de la Asociación de Siquiatras Estadounidenses en San Diego (Bernstein, 1997), donde se presentó la versión piloto del PVI conteniendo 121 preguntas a 234 participantes en 4 lugares diferentes. Los participantes fueron diversos en términos de edad, género, y etnicidad. Como resultado se obtuvo una muestra muy esperanzadora de lo que se puede obtener por este camino, lo que continúa abriendo el camino para nuevos estudios. Aquí presentamos una muestra de estos resultados.

LA VIOLENCIA DOMÉSTICA
Y LOS HIJOS

UNA TRAGEDIA QUE FATALIZA EL FUTURO

Más de la mitad de las mujeres víctimas de violencia doméstica viven con hijos menores de 12 años. En un estudio que fue realizado en Michigan, se muestra que el 46,7 por ciento de los niños fueron expuestos por lo menos una vez a incidentes de violencia doméstica severa en la familia. Estos niños sufren síntomas de desórdenes post–traumático, que se traducen en mojarse en la cama, y pesadillas, y están en riesgo de adquirir alergias, asma, problemas gastrointestinales y dolores de cabeza. Las investigaciones demuestran que los niños expuestos a la violencia familiar (3,3 - 10 millones de niños anualmente) tienen un efecto negativo en el desarrollo.

Un estudio realizado sobre 2.245 niños y adolescentes expuestos a la violencia doméstica en sus hogares muestra que ser expuesto a violencia producirá en ellos una conducta violenta más adelante. Algunos niños expuestos a la violencia del padre hacia su madre mostraron una conducta externa clínica fuera de los límites normales. Los niños expuestos a la violencia doméstica, sin experimentar maltrato, mostraron un 40 por ciento más de problemas de conducta, que el grupo de niños testigos que no había sido expuesto a la violencia.

Se estima que cada año hasta 10 millones de niños son testigos de agresiones en contra de uno de sus padres por un compañero íntimo (Straus, 1992). La violencia doméstica no hace discriminación de raza, cultura, nacionalidad o género. Se presenta a la misma velocidad tanto en las relaciones homosexuales como en las relaciones heterosexuales (Mills et al., 2000). La experiencia de la violencia familiar puede ser una de las más inquietantes y perturbadoras para los niños porque las víctimas y los agresores son los adultos que los debían cuidar y los que están más estrechamente vinculados a ellos.

Para muchos de estos niños la violencia interrumpe su experiencia de seguridad y la atención constante, y crea un ambiente de incertidumbre e impotencia. Los niños que están expuestos a la violencia doméstica, especialmente a los incidentes reiterados de violencia, están en riesgo de muchas dificultades, tanto de forma inmediata como en el futuro: problemas para dormir, comer, y otras funciones corporales básicas, depresión, agresividad, ansiedad y otros problemas en la regulación de las emociones, las dificultades con la familia, las relaciones con los compañeros, y problemas de atención, concentración, y rendimiento escolar.

La investigación también muestra que los padres que son violentos con los demás, están en riesgo de abusar físicamente de sus hijos (Straus, 1992) un hecho alarmante en que la violencia doméstica se ha encontrado que es el precursor más común de muerte infantil en los Estados Unidos (Mills et al., 2000). Los niños expuestos a la violencia en el hogar también están en riesgo de repetir su experiencia en la generación siguiente, ya sea como víctimas o victimarios, en sus relaciones íntimas. A pesar de estos riesgos graves, un pequeño porcentaje de niños expuestos a la violencia familiar no son tan gravemente afectados en su vida futura. Es importante recordar que las respuestas individuales de los niños dependen de muchos factores en el niño, la familia, y el medio ambiente (Hughes, Graham, Bermann y Gruber, 2001). Con el fin de minimizar el riesgo de daños a largo plazo, los niños testigos de violencia doméstica necesitan seguridad y la protección de su medio ambiente para ser restaurados. Los niños expuestos a la violencia intrafamiliar también necesitan el apoyo de los adultos que los rodean de sus propios padres o de otros cuidadores primarios.

Las intervenciones que ayudan a los niños suelen ser también las que ayudan a los padres a aumentar su seguridad propia y a aumentar los recursos disponibles para proporcionar seguridad a sus hijos. El maltrato infantil, la violencia juvenil y la violencia doméstica están inextricablemente entrelazados. La presencia de la violencia doméstica en la vida de un niño no sólo daña a los niños, sino que tiene el efecto de llegar a toda la sociedad. Las intervenciones comunitarias de base pueden ser la mejor esperanza para las familias de nuestra sociedad que luchan con la violencia en sus hogares. La educación sobre el tema puede ayudar a prevenir la continuación del ciclo de la violencia en el hogar.

Los trabajadores de salud, los agentes del orden, los educadores y los trabajadores de bienestar infantil, de organizaciones sobre abuso doméstico, juegan una superposición de funciones en la prevención y la intervención de los casos perjudiciales de violencia doméstica (Jaffe, Baker y Cunningham, 2004).

Los niños expuestos a la violencia se ven obligados a crecer más rápido que sus compañeros, tomando a menudo la responsabilidad de cocinar, limpiar, y cuidar de sus hermanos más pequeños, muchas veces como abusador. De todas maneras, siempre se preguntan qué pueden esperar cuando regresen a casa. Ellos están aislados. Las actividades típicas como traer sus compañeros a la casa es imposible por la atmosfera caótica, sin embargo, su respuesta en rendimiento escolar no siempre se ve claramente afectado. Los niños de hogares donde hay violencia pueden ser introvertidos o extrovertidos en extremo. Los problemas sicosomáticos son frecuentes y comunes sin razón aparente, presentando dolores y malestares como dificultades gastrointestinales o respiratorias o erupciones en la piel. Estos niños pueden mostrar comportamientos problemáticos que incluyen agresión y estallidos violentos.

Subyacente a todos los síntomas enumerados están las respuestas emocionales de los niños, como la ira, vivir en la miseria, intenso terror, miedo de morir, miedo a la pérdida de uno de sus padres. Los niños pueden sentir rabia, culpa o un sentido de responsabilidad por la violencia que sofoca su desarrollo emocional y social. Para aprender y crecer hacia una adultez sana los niños deben sentirse seguros en el mundo, y seguros de sí mismos. La violencia los sorprende y acaba con la confianza que ellos deben generar para seguir viviendo con paz y serenidad. Los niños también presentan agitación, problemas académicos y de conducta, depresión, distracción, embotamiento emocional, cambios emocionales, miedo, sensación de miedo, miedo a la actitud normal de explorar que tienen los niños, sentimientos de culpa, sentimientos de no pertenencia, escenas retrospectivas, malestar emocional generalizado, aumento de la excitación, insomnio, irritabilidad, bajos niveles de empatía, baja autoestima, pesadillas, comportamientos obsesivos, entumecimiento de los sentimientos, fobias, pobre habilidad para resolver problemas, pensamientos vengativos, conductas suicidas, ausentismo escolar, y abandono de las actividades. Síntomas del estrés post traumático, en la vida adulta manifiestan abuso de alcohol, depresión, baja autoestima, prácticas violentas en el hogar, conductas delictivas, problemas sexuales, abuso de sustancias. Hay que orientarlos, ya que tienen acceso a agencias de ayuda y hogares seguros (refugios) como centros de acogida y asesoramiento. Consulte las estadísticas y agencias por Estado en Internet.

CÓMO TRATAR LOS CASOS DE VIOLENCIA DOMÉSTICA

Para sicólogos, siquiatras, pastores, y otros consejeros de salud mental, lidiar terapéuticamente con la violencia doméstica presenta un problema extremadamente complejo, para el cual las respuestas sencillas y simples no existen. Mientras que el perpetrador de la violencia, en la mayoría de los casos es el hombre, también existen situaciones en que la mujer es la agresora. En muchos de los casos de violencia, la única solución es que la persona agredida se aleje de su pareja. Ésta es una medida extrema que la víctima duda en llevar a cabo, ya sea porque teme represalias o porque cree que la situación pueda cambiar. Esto produce, por lo tanto, la necesidad de utilizar otras intervenciones terapéuticas más sofisticadas para eliminar los casos de violencia.

El terapeuta o consejero que trata casos de violencia doméstica debe entender que la persona que abusa con violencia es una persona enferma aunque no lo parezca. La enfermedad consiste en un desorden de la personalidad que afecta su comportamiento y su salud mental, tanto como los de la víctima.

La persona que abusa presenta con frecuencia los siguientes comportamientos:

- Minimiza su abuso o niega la seriedad del abuso.
- Culpa a la víctima como la causa de su comportamiento.
- Dice que la víctima es la que es abusiva.
- Trata de culpar a otros y se presenta como si él/ella fuera en verdad la víctima de las circunstancias.
- Pide mil perdones, prometiendo cambiar y no hacerlo más (hasta la próxima vez).

- Poco a poco la severidad de la violencia aumenta cada vez más.

Las cicatrices que produce la violencia doméstica corren hondas. El trauma causado por la violencia continua afectando a la víctima por mucho tiempo después que la situación de abuso ha terminado. El trauma causa emociones que atormentan, memorias que asustan y, a veces, un sentido de peligro inminente del cual la víctima no puede deshacerse. La víctima se siente desconectada e incapaz de confiar en las personas y desarrolla un complejo de culpabilidad totalmente innecesario. Cuando pasan cosas malas, es difícil calmar el dolor y sentirse a salvo y seguro. Consejería, terapia, y grupos de apoyo pueden prestar ayuda a los sobrevivientes de la violencia doméstica. El propósito de estas intervenciones es el de ayudar a la persona para que pueda procesar todo lo que ha pasado y así aprender a no sentirse culpable, elevar su auto estima y establecer nuevas y sanas relaciones.

De mayor importancia durante el proceso de recuperación de la víctima es el apoyo que pueda recibir de la familia, de los amigos, de un terapeuta y la ayuda espiritual de un pastor de su congregación. Todos estos individuos pueden acelerar la recuperación emocional y sicológica de la víctima, y a reconstruir su auto-estima.

Durante el curso de recuperación, es importante que la víctima se convenza que:

- No tiene la culpa ni se merece ser golpeada.
- No es la causa del trato abusivo proporcionado por su pareja.
- Tiene todo el derecho de ser tratada con respeto.
- Se merece una vida segura y feliz.
- Sus hijos se merecen una vida tranquila y feliz.
- No se debe sentir sola. Hay muchos que pueden y quieren ayudar.

¿QUÉ ES LA SICOTERAPIA?

La sicoterapia consiste de un conjunto de técnicas cuyo propósito es mejorar la salud mental de un individuo, el cual tiene problemas emocionales y de comportamiento. Esos problemas le impiden funcionar de manera adecuada para llevar un curso normal de su vida. La sicoterapia se enfoca en estos problemas para eventualmente resolverlos. Existe una gran variedad de técnicas con las cuales tanto el terapeuta como el paciente deben participar para obtener resultados positivos. Los terapeutas utilizan diferentes métodos basados en su filosofía y en el entrenamiento profesional recibido.

Métodos comúnmente usados:

- **Cognitivo**: Este método trata, en forma estructurada, de cambiar la manera equivocada de pensar que utiliza la persona. Es un método breve y muy enfocado en aliviar los síntomas y modificar creencias erróneas. Este método es uno de los más usados para tratar la depresión, abuso de drogas, violencia doméstica, y desórdenes en la ingesta de comidas.
- **Humanístico**: Con este método el terapeuta trata de establecer una relación genuina, empática y completa con el paciente y así conseguir mejorar el bienestar del individuo, una vez que éste se aprenda a conocer a sí mismo.
- **De conducta**: Este método se basa en el acondicionamiento operacional, el acondicionamiento clásico, y la teoría del aprendizaje. El comportamiento del individuo debe ser observado y medido para obtener resultados positivos.
- **Terapia breve**: Este método puede hacer uso e incorporar cualquiera de los métodos ya mencionados, pero también puede utilizar técnicas específicas que puedan producir alivio rápido a

la persona. Técnicas de cómo enfocarse en encontrar soluciones y aprender a reconocer y a evitar situaciones problemáticas. La terapia breve puede ser de una sesión o de cinco, enfocándose en reducir la dependencia no saludable de la persona, tanto con el terapeuta, como con su pareja abusadora.

Los métodos mencionados pueden ser aplicados en terapia de parejas, terapia individual, o terapia de grupo. El terapeuta tiene la responsabilidad de evaluar cuál de los métodos es el más apropiado para su paciente.

Ahora, debemos hacer notar que, desafortunadamente, todos los métodos de sicoterapia mencionados parecen tener un efecto limitado y a veces mínimo con respecto al abusador o victimario. La misma literatura sobre este tema es escasa, concentrándose más que todo con el tratamiento de la víctima. Es común pensar que el abusador esté loco y fuera de control y que su comportamiento no se puede predecir. Lo contrario es casi siempre la verdad. La violencia usada por el abusador es controlada y manipuladora. Ellos experimentan cambios dramáticos en el humor. En un momento son cariñosos y amorosos, y pueden luego transformarse en individuos odiosos, crueles, y vengativos. Es su manera de ejercer completo control sobre la víctima. Con frecuencia, el abusador se niega a reconocer y a aceptar la enfermedad de su comportamiento, echándoles la culpa a los demás por su violencia y así, no comprende la necesidad de cambiar su modo de ser. El terapeuta debe tener cuidado de no desarrollar una actitud negativa contra el abusador, debido a que este puede causar repulsión con su manera de ser y creerse justificado cuando actúa con violencia. Según él, ¡no es su culpa!

También, hay que diferenciar entre los episodios periódicos de violencia causados por anomalías como la enfermedad bipolar u otros desórdenes mentales y los de violencia usada contantemente como un método de controlar a la víctima seleccionada.

Cuando un sicólogo, un siquiatra, un consejero, o un pastor no se sienten capacitados para lidiar con la violencia doméstica, deben enfrentar su limitación y ser responsables en referir al paciente a la persona o instituto adecuados. Esto no es una sugerencia, es algo mandatorio.

PREVENCIÓN

Cuando Jesús dijo: "Ven y sígueme", no llevó a sus discípulos a una iglesia; les enseñó el camino al mundo, un mundo de situaciones concretas donde asuntos de Estado, la economía de mercado, y la vida de personas y familias están unidos en una sociedad pluralista. Si Dios es el Dios de la vida, entonces está en este mundo con todos sus contratiempos y travesías. Dios nos llama a adorarle, a estudiar y aplicar su Palabra, y a comprometernos con su misión de ser sal y luz en el mundo. ¿Cómo podemos arrojar un poco de la luz de Dios en la sombría realidad de la violencia doméstica? ¿Cómo ser pacificadores en un mundo violento?

En el caso de la violencia doméstica suelen ocurrir situaciones con factor de estrés, como el estrés post-traumático de la violencia doméstica, la policía, los jueces, y el nuevo hogar transitorio, los cambios que se producen y la pérdida del esposo. La mujer vivirá con un constante sentimiento de culpabilidad y se acusará a sí misma del rompimiento y requerirá muchos meses de cuidados especializados hasta que ella decida perdonarse a sí misma y sentirse amada una vez más, por ella misma, sus familiares y amigos.

El Dr. Karl Menninger, el famoso médico siquiatra y fundador de la Clínica Menninger en Topeka, Kansas, ha escrito un libro que ha tenido mucho éxito titulado Whatever Became of Sin? (¿Qué pasó con el pecado?) en el cual el Dr. Menninger discute la epidemia de violencia en el mundo de hoy a la luz de una sociedad que no admite el pecado personal o corporativo. El espíritu humano clama por perdón y sanación.

Dos personas con estructuras de vida muy diferentes deciden formar una unidad, eligen armonizar a pesar de sus diferencias. ¿De quién depende la armonía? ¿Quién es el responsable de una vida enriquecedora?

El apóstol Pablo en su epístola a los Romanos, declara uno de los principios elementales de la dinámica y el buen éxito de las relaciones interpersonales. Lo hace en una frase corta de tres elementos básicos:

"Si es posible, y en cuanto dependa de ustedes, vivan en paz con todos" (Romanos 12:18).

El primero de los elementos, "Si es posible" esta precedido por la particular "Si" la cual sujeta gramaticalmente al resto de la declaración a lo potencial, a lo condicional. "Si es posible" expresa la fragilidad de la armonía, la posibilidad de la fractura, el condicionamiento de la paz. Pone en alerta a cada participante frente a la eventualidad del desgaste de la paz.

El segundo elemento "en cuanto dependa de ustedes", connota que debe existir el compromiso personal, la contribución individual sostenida para la obtención de la armonía. Cada miembro de la pareja se responsabiliza a sí mismo frente al otro de aportar su cuota, de hacer todo cuanto de él/ella dependa por armonizar con su cónyuge. Este segmento de la declaración habla de actitud interna, de convicción que se expresa en hechos, de movimiento para lograr un fin específico. De ese fin depende el encaje adecuado de la pareja. Cada individuo tiene que percibirse como responsable de hacer la totalidad de su parte por convicción y con un alto sentido de compromiso. El "Si es posible", está sujeto a la contribución voluntaria y responsable del amor que crece en armonía. El "en cuanto dependa de ustedes" es lo que condiciona y sujeta la posibilidad de vivir armónicamente.

El tercer elemento, "vivan en paz con todos" es el objetivo. La paz, como cualquier experiencia humana no ocurre en el vacío. La paz en el quehacer interpersonal está sujeta al aporte consciente del trabajador por la paz. El individuo que crece en ella y que la posee puede ofrecerse a sí mismo como instrumento voluntario, como herramienta útil que trabaja en favor de la paz. "Vivan en paz" es un recordatorio a la vivencia interna y personal de la posesión y el disfrute de la paz. Tenerla y compartirla. La persona no espera que el otro haga algo primero para quizás hacer algo él, sino que hace primero aún cuando el otro no ha empezado a hacer. Tenerla y trabajar personalmente para que se produzca. Poseerla y proyectarla en cada circunstancia, en cada diálogo, en cada caricia, en cada momento que se comparte con el otro. Pablo habla de procuradores de la paz, de pacificadores, de convencidos de la vida que puede transformarse en armonía por medio del compromiso que trabaja en favor de la paz y en el poder y la guía del Señor de la paz. Si la condicionalidad está sujeta a un quehacer auténtico, transparente y honesto por parte de cada miembro; si cada uno contribuye ofreciendo voluntariamente su "en cuanto dependa de ustedes…" entonces el resultado será la paz. No la paz artificial, o que evita conflictos, sino la paz que puede surgir a pesar de los conflictos producidos por las diferencias personales. La paz que tiene su centro en el actuar interno del Espíritu; la paz como manifestación del fruto del Espíritu (Gálatas 5:22). La paz que posee cada miembro de la pareja como consecuencia de la madurez cristiana; la paz que puede ser expresada cada día y a cada momento en el roce interpersonal aún cuando ese día no se haya tenido la manifestación de amor esperada, o aun cuando la respuesta del otro no pudiera interpretarse como la más adecuada, y aun cuando al regresar del trabajo el agotamiento parezca asfixiar las posibilidades del diálogo. Aún así y pese a todo, subyace el efecto interno del poder de Dios que ha regalado la paz como sello de identificación del redimido. Entonces, cada pareja creyente vivirá posibilitando la paz que de él/ella dependa porque él o ella poseen la paz de Cristo.

En conclusión, la posibilidad de la paz está centrada en el actuar de su Espíritu que fecunda en cada uno y produce el querer y el hacer por su voluntad. Cada miembro es un trabajador por la paz. De cada uno depende la armonía.

NO VIOLENCIA

NEGOCIAN JUSTAMENTE
Buscan siempre la mutual satisfacción en la resolución de los conflictos. Aceptan los cambios. Están conscientes de los compromisos del uno para con el otro.

NO TIENEN UNA CONDUCTA AMENZADORA
Tratan de ser afables. Uno hace que el otro se sienta cómodo, se exprese a sí mismo, y pueda realizar cosas creativas.

COMPARTEN LA IGUALDAD FINANCIERA
Deciden juntos sobre el dinero. Ambos comparten los resultados financieros.

RESPETO
Se escuchan sin juzgarse. Se afirman y comprenden emocionalmente. Sus opiniones tienen valor y se apoyan mutuamente.

IGUALDAD

COMPARTEN RESPONSABILIDADES
Se ponen de acuerdo en una igual distribución del trabajo. Hacen las decisiones de familia juntos.

SE OFRECEN CONFIANZA Y APOYO
Se apoyan en cuanto a sus objetivos en la vida. Respetan sus derechos y sentimientos. Como amigos y compañeros realizan actividades comunes y respetan las opiniones de cada uno.

SON PADRES RESPONSABLES
Comparten sus responsabilidades de padres. Han aceptado ser un modelo positivo, sin violencia, para sus hijos.

SON HONESTOS Y RESPONSABLES
Toman responsabilidades individuales. Aceptan sus errores. Piden y aceptan el perdón. Se comunican abiertamente con confianza y siempre con la verdad.

NO VIOLENCIA

102

Informarse adecuadamente

Como lo mencionamos al principio, la intensión de este libro es no perfeccionar ninguna técnica terapéutica para el pastor o el terapeuta, sino crear conciencia, comunicar información, y animar a la acción en pro de la paz. Creemos que mientras los asesores emocionales y espirituales dispongan de más información, mayor será su capacidad de actuar.

Se debe estar claro que quien está en la posición de víctima, es la menos malvada de las dos personas. Las situaciones de violencia no se pueden revertir ni se deben utilizar las mismas armas que el agresor; no es aconsejable. El único recurso que se tiene es la ley. El asesor debe entender que tiene que protegerse. En cuanto la víctima se encuentre frente a un malvado, cualquier cosa que haga o diga, se puede volver en su contra. Lo mejor es callar, los malvados son incapaces de aceptar que alguien pueda no mentir; así la víctima ha podido comprobar que el diálogo y las explicaciones no sirven para nada. Si el intercambio resulta inevitable, una tercera persona deberá mediar en el diálogo. El hostigamiento telefónico se puede anular cambiando el número de teléfono o filtrando las llamadas. Las cartas ofensivas o tendenciosas es preferible abrirlas si se está en control o delante del terapeuta. Las cartas de los malvados vuelven a introducir veneno y sufrimiento, los cuales pueden desestabilizar a la víctima. Pero llegará un momento en que la víctima deberá actuar firmemente y cambiar de estrategia. También deberá resistir sicológicamente y para ello tendrá que buscar algún tipo de apoyo. En la mayoría de las veces, la crisis sólo podrá resolverse con la intervención de la justicia.

Las agresiones y las humillaciones se registran en la memoria y se vuelven a vivir a través de imágenes, pensamientos, y emociones intensas y repetitivas, ya sea durante el día o por la noche. El miedo a enfrentarse con el agresor y el recuerdo de la situación traumática dan lugar a un comportamiento de evitación. Con el tiempo la experiencia vivida no se olvida, pero la persona logra participar menos de esas experiencias y llegar a una vida plena, de cierta manera.

La primera acción por medio de la cual la víctima se coloca en una posición activa es el de la elección de un sicoterapeuta que tenga una formación adecuada con relación al tema. En ningún caso, ningún método terapéutico serio dejará de apelar a la responsabilidad del mismo paciente, y en este punto la información que el pastor o su médico personal posea es importante. El pastor puede visitar varios terapeutas, hacerle una ficha a cada uno con los rasgos de mayor interés, y luego elegir a aquel que le da más confianza para los temas cotidianos. En cuanto a los profesionales, pastores y médicos, la ayuda a las víctimas deberá llevarnos a cuestionar nuestro saber y nuestros métodos terapéuticos con el fin de situarnos del lado de la víctima, sin por ello adoptar una posición de omnipotencia.

Ejercicios / talleres

Los síntomas de la violencia doméstica en un solo miembro es la expresión de la disfunción familiar. En un sistema socio cultural abierto, muchas familias latinas, hoy en día, son desafiadas por las necesidades de cambios en la búsqueda de destruir su rigidez o su funcionamiento con estereotipos, en una inadecuada estructura familiar.

Estos ejercicios le permitirán a cada individuo desandar su experiencia y tomar contacto con su sistema familiar, y recordar sus experiencias de violencia en su sistema familiar roto y revivir aquellos momentos desgarradores y trágicos. Es el mejor camino hacia la sanación. Debe trabajar con cada pregunta y eliminar el sentido de culpabilidad cuando éste surge, para que no impida la total honestidad con el proceso que está llevando.

Estos ejercicios/talleres se llevan a cabo entre dos personas, el participante, que busca entender de dónde surge su enojo, y el facilitador, quien se presenta en sesiones individuales o de grupo para asistir al participante a modo de orientador, pero la experiencia única será para el participante quien descubrirá u obtendrá las respuestas que busca y luego de esto emprenderá el camino a la rehabilitación con la ayuda de un terapeuta quien monitoreará muy de cerca los resultados de la terapia en la conducta del individuo.

El participante deberá trabajar con transparencia, honestidad, e intensión decidida a obtener las respuestas que se había propuesto. Contestará cada pregunta, y de su seriedad dependerá el éxito que obtendrá en beneficio de la persona misma.

Se escuchará a sí mismo. Irá paso a paso. No contestará las preguntas contra reloj, ya que el ejercicio no es un examen o una competencia. Debe darse el tiempo para pensar, reflexionar y entender el proceso que vivió y en el que está en este momento. Debe permanecer en humildad, y la intención de desmantelar la violencia que descubrió en sí mismo, y que cree que son rasgos peligrosos, que le impiden ser feliz, y que de persistir, lo llevarán a la cárcel.

En cuanto al facilitador, no necesita ser un terapeuta, o un experto, sino alguien sensible a la situación personal de quienes están trabajando por salir de sus sentimientos de enojo, ira, y violencia. El facilitador debe estar abierto a comprender la formación, los valores, las creencias, y la visión del individuo y la relación que éste tenga con su sistema familiar. En particular, es importante que comprenda, respete, y sea proficiente culturalmente a la diversidad de los latinos.

EJERCICIO 1

Escriba un relato secuencial sobre el enojo.
1. ¿Cómo sabía que se estaba enojando cuando era niño?
¿Cómo se sentía cuando iba a estallar?
2. ¿Compartía sus emociones con sus hermanos?
¿Sentían ellos lo mismo que usted?
3. ¿Cómo lo expresaba?
4. ¿Cómo sentía su cuerpo el enojo de sus padres?
5. ¿Cómo eran sus sentimientos al tiempo del enojo de sus padres?
6. ¿Cómo sentía en su cuerpo el estallido de violencia en sus padres?
7. ¿Qué mensaje recibe de su cuerpo cuando está enojado?
8. ¿Cómo se expresa este mensaje en sus sentimientos?
9. ¿Tuvo oportunidad de hablar sobre este tema
con su madre o su padre?
10. ¿Tuvo oportunidad de hablarlo con un adulto en su momento?

Reflexione sobre Salmo 37:8: "Refrena tu enojo, abandona la ira; no te irrites, pues esto conduce al mal." (Diríjase al facilitador de su grupo si necesita ayuda).

EJERCICIO 2

En su cuerpo.

1. ¿Cómo sabe que se está enojando?
   ¿Qué cambios siente en su cuerpo?
2. ¿Cómo percibe su cuerpo –sus músculos, sus piernas,
   su capacidad de hablar o de oír– cuando usted está enojado?
3. Piense en una ocasión en que usted se enojó.
   ¿Cómo sintió su cuerpo?
4. ¿Qué emociones sintió? ¿Pudo identificar su enojo?
5. Escriba lo que sintió y cómo lo identificaría:
   a. _____
   b. _____
   c. _____

Reflexione sobre Proverbios 14:17 RV: "El que fácilmente se enoja hará locuras." (Diríjase al facilitador de su grupo si necesita ayuda).

EJERCICIO 3

Los síntomas del enojo.

1. Nombre las cuatro primeras señales por las
   cuales sabe que está enojado.
   a. _____
   b. _____
   c. _____
   d. _____

2. Nombre las cuatro primeras reacciones de su cuerpo
   que le avisan que se está enojando.
   a. _____
   b. _____
   c. _____
   d. _____

Vuelva a su último enojo e identifique sus reacciones.

3. Escriba los cuatro primeros pensamientos o ideas que le vienen a la cabeza cuando está enojado.

   a. _____

   b. _____

   c. _____

   d. _____

4. Escriba las cuatro primeras acciones que realiza cuando se enoja.

   a. _____

   b. _____

   c. _____

   d. _____

5. Escriba los resultados de las lista 1, 2, 3, y 4, según como crea que le son más convenientes a sus sentimientos:

   a. _____ b. _____ c. _____ d. _____

     _____ _____ _____ _____

     _____ _____ _____ _____

     _____ _____ _____ _____

6. Después de observar el posicionamiento de su nuevo listado, escriba su opinión respecto a los sentimientos y el enojo

Reflexione sobre Proverbios 19:11 RV: "La cordura del hombre detiene su furor." (Diríjase al facilitador de su grupo si necesita ayuda)

Ejercicio 4

Aspectos negativos de nuestra personalidad

Suele ocurrir que cuando nuestra pareja, amigos o familiares resienten o critican con disgusto algún aspecto de nuestra personalidad. Si lo piensa, verá que tampoco le agradan a usted.

Escriba cuatro aspectos negativos de su personalidad que le disgustan.

1. _____
2. _____
3. _____
4. _____

Asumir los aspectos negativos de su personalidad es el mejor camino para cambiar. Reflexione sobre estos cuatro puntos que escribió.

Reflexione sobre Eclesiastés 7:9: "No te dejes llevar por el enojo que sólo abriga el corazón del necio." (Diríjase al facilitador de su grupo si necesita ayuda)

EJERCICIO 5

1. Escriba una lista de emociones y sentimientos positivos y negativos correspondientes el uno con el otro:
   Escúchelas y siéntalas en su cuerpo.

POSITIVO   NEGATIVO

_____   _____

_____   _____

_____   _____

_____   _____

_____   _____

_____   _____

2. Escriba una palabra positiva y otra negativa que lo describan mejor. Subraye las tres palabras a las que responde su cuerpo con mayor intensidad.

Reflexione sobre Proverbios 16:21 RV: "Mejor es el que tarda en airarse que el fuerte." (Diríjase al facilitador de su grupo si necesita ayuda)

EJERCICIO 6

(Facilitador)

Caso de estudio 1

Eran la 1:30 de la mañana, y Juan caminaba impacientemente. Su hijo de 18 años debía haber regresado a la medianoche.

–¿Por qué no vienes a la cama?– lo llamó su esposa.
–Ya va a llegar. Seguramente le pasó algo que lo atrasó.

–¿Por qué siempre lo defiendes?– desafió Juan.
–Él sabe que tú serás comprensiva. ¡Cómo te manipula!

–Eres un padre muy amoroso– dijo su esposa con ironía.
–Así que tú crees que explotar contra él es la forma adecuada de manejar este asunto– terminó señalando su esposa.

Juan sintió que su enojo iba en aumento, pero antes de que pudiera decir una palabra más, se abrió la puerta y entró el hijo desobediente.

–¿Dónde has estado?– demandó Juan, a punto de perder el control.
–Llegaste casi dos horas más tarde.

–Uhhh, tranquilícense– llegó la respuesta en forma de reproche.
–Dos meses más y me voy de aquí.

Cuando Juan escuchó esa respuesta tan irrespetuosa, y olió el alcohol, tomó a su hijo y lo arrojó contra la pared.

Esto te va a enseñar una lección, razonó Juan para sí mismo.
Ya es tiempo de que él sepa quién es el que manda aquí.

Señale una decisión equivocada de cada uno de los protagonistas.

El hijo: _____

La madre/esposa: _____

El padre/esposo: _____

Orientación para los participantes

–Lo que hizo el padre fue abuso físico; no fue hecho con amor y preocupación por el hijo, sino por una necesidad de afirmar su tambaleante autoridad.

–El hijo eligió el alcohol, que le dio esa actitud de a mí no me importa que desafió al padre.

–La esposa de Juan eligió herir para expresar su frustración, dirigiendo sus duras palabras a la parte más vulnerable de su esposo: su rol como padre.

–Juan eligió la violencia física para mostrar que él era la cabeza del hogar, el hombre a cargo.

Reflexione sobre 2 Samuel 22:3b: "¡Tú me salvaste de la violencia!" (Diríjase al facilitador de su grupo si necesita ayuda)

Ejercicio 7

(Facilitador)

Caso de estudio 2

Henry nos fue enviado por la Corte de Familia para recibir terapia. Había tomado a su pareja por los brazos, y la arrojó con fuerza contra la pared, luego ella cayó al piso golpeándose la cabeza. Ella llamó a la policía, que lo arrestó. El juez le dio la opción de ir a terapia, o a la cárcel, o pagar una multa. Henry aceptó la terapia porque le molestaba las peleas frecuentes que venía teniendo en su hogar. Cuando le preguntamos qué había sucedido, nos dijo: "Yo hago todo lo que puedo, no hay mucho trabajo y la economía no está bien. Y ella tiene todas las noches una lista de cosas para comprar. Por las dos últimas semanas le vengo explicando mis dificultades, pero ella insistió y no aceptó mis explicaciones. Le dije que no podía cambiar la situación y me gritó. Me sentí tan indignado que no pude más… entonces llamó a la policía."

–Escriba su opinión sobre esta situación:

_____

–Diga qué significa para usted <u>indignado</u>:

–¿Qué observación tiene ante la dificultad de decir no,
y que sea aceptado? _____

_____

–¿Pudo observar que nadie habló de sus sentimientos?

_____

Orientación para los participantes
Los dos, hablando en un espíritu de amor, podrían haber resistido la explosión emocional y de enojo. Con criterio amplio se podrían ayudar el uno al otro.

Reflexione sobre Proverbios 4:17: "Su pan es la maldad; su vino, la violencia."

(Diríjase al facilitador de su grupo si necesita ayuda)

EJERCICIO 8

(Facilitador)
Estudio bíblico sobre la reconciliación:
Carta de San Pablo a Filemón.
(Diríjase al facilitador de su grupo si necesita ayuda)
La carta de San Pablo a Filemón es una breve apelación a la reconciliación. Onésimo, un esclavo que había escapado, es ahora un creyente y vuelve a su dueño Filemón. Pablo apela para que Filemón reciba a Onésimo como a su querido hermano en Cristo. La carta de Pablo a Filemón ofrece importantes lecciones para obrar la reconciliación. Tome su Biblia y lea la carta. Piense cómo puede aplicar estos principios en sus relaciones.

Orientación para los participantes

1. Enfatice lo positivo. Pablo comienza su carta con bendiciones. ¡No con quejas! Ora por la gracia de Dios sobre Filemón, sus compañeros de trabajo y sus amigos creyentes (vv 1-3), porque sólo la gracia produce la reconciliación.

2. Adopta una actitud de gratitud. La gratitud de Pablo se centra en la bondad de Dios. Pablo agradece a Dios por Filemón, reconoce su servicio de amor y dice que su amor y su fe lo animaron cuando estaba en la prisión (vv 4-7).

3. Recuerde que el humor puede ayudar. Con fino humor y buena voluntad, Pablo juega con el significado del nombre Onésimo: útil (vv 11-12). Cuando pueda usar un toque de humor, ¡aproveche la oportunidad! Humor sí, sarcasmo no.

4. Cuide su lengua. El cálido afecto de Pablo desarma a ambos, al dueño Filemón y al fugitivo Onésimo. Una admonición ácida hubiera contradicho al evangelio, que era el denominador común para estos tres hombres. Pablo habla desde el amor, y desafía a Filemón a responder con amor.

5. Elogia sinceramente. Pablo edifica sobre lo fuerte en Filemón: el don de fe y amor del Espíritu Santo (vv 7-6). Parece que dijera: "Tú muestras tu fe amando a compañeros cristianos. Muestra tu fe amando a Onésimo!"

6. Evita jugar con el poder que podía ejercer como padre espiritual, tanto de Filemón como de Onésimo. Sin embargo, desafió a Filemón a responder con amor (vv 8-9). Usando el amor como motivación, Pablo confía que Filemón hará lo que es correcto.

7. Ayuda a otros a dejar el enojo. Pablo desafía a Filemón para que deje su enojo, y que piense en Onésimo como un compañero, siervo en Cristo (v 13). Puede que ésta sea una píldora amarga para Filemón, si es que él abrigaba ira hacia Onésimo, pero podría ser justamente el remedio que se necesitaba.

8. Reconoce el daño. Onésimo estaba en deuda con Filemón. Quizás había robado algo, o su ausencia había causado gastos extras a Filemón. Pablo reconoce la deuda, validando el daño que se le hizo a Filemón (vv 18-19).

9. El reconocimiento sincero y las expectativas elevadas tienen más posibilidades de convencer a hacer lo correcto que las amenazas y el miedo al criticismo. Pablo dice "Te escribo [Filemón] confiando en tu obediencia" (v 21).

Martín Lutero escribió: "Todos somos Onésimos!" Así como Onésimo estaba fuera del favor de Filemón, todos estamos fuera de la gracia de Dios. Pero así como Pablo ruega por Onésimo, Jesús ruega al Padre por nosotros, y verdaderamente pagó el precio de la reconciliación en la cruz. Dios nos invita, como sus hijos muy amados, a tomar de su amor y a reconciliarnos con nuestro prójimo.

EJERCICIO 9

Reflexión bíblica

Señale una correlación entre estos versículos y la ira o el enojo.
(Diríjase al facilitador de su grupo si necesita ayuda)
Efesios 4:26 (Salmo 4:4)
"'Si se enojan, no pequen.' No dejen que el sol se ponga estando aún enojados."

Efesios 4:31
"Abandonen toda amargura, ira y enojo, gritos y calumnias, y toda forma de malicia."

Salmo 7:11
"Dios es un juez justo, un Dios que en todo tiempo manifiesta su enojo."

Marcos 3:5

"Jesús se les quedó mirando, enojado y entristecido por la dureza de su corazón, y le dijo al hombre: —Extiende la mano. La extendió, y la mano le quedó restablecida."

Orientación para los participantes
Efesios 4:26
La respuesta a la pérdida del control no es el resentimiento.

Efesios 4:31
La voluntad de Dios es ayudarte a abandonar "toda amargura, ira y enojo".

Salmo 7:11
Dios ha revelado su ira santa en diversas oportunidades en forma muy palpable en el Antiguo Testamento. ¿Puede mencionar algunas?

Marcos 3:5
"Jesús los miró con enojo" nos da una idea de que Dios ejerce su ira en forma justa.

EJERCICIO 10

Reflexión bíblica
Señale una correlación entre estos versículos y la ira o el enojo.
(Diríjase al facilitador de su grupo si necesita ayuda)

1 Corintios 7:5

"No se nieguen el uno al otro, a no ser de común acuerdo, y sólo por un tiempo, para dedicarse a la oración. No tarden en volver a unirse nuevamente; de lo contrario, pueden caer en tentación de Satanás, por falta de dominio propio."

Marcos 11:12-14

"Al día siguiente, cuando salían de Betania, Jesús tuvo hambre. Viendo a lo lejos una higuera que tenía hojas, fue a ver si hallaba algún fruto. Cuando llegó a ella sólo encontró hojas, porque no era tiempo de higos. '¡Nadie vuelva jamás a comer fruto de ti!', le dijo a la higuera. Y lo oyeron sus discípulos."

Juan 2:14-15

"Y en el templo halló a los que vendían bueyes, ovejas y palomas, e instalados en sus mesas a los que cambiaban dinero. Entonces, haciendo un látigo de cuerdas, echó a todos del templo, juntamente con sus ovejas y sus bueyes; regó por el suelo las monedas de los que cambiaban dinero y derribó sus mesas."

Apéndice

Casos de la vida real

El drama de la violencia doméstica

En los últimos meses, la violencia doméstica ha estado en los medios de comunicación por causa de los famosos o porque en algún que otro caso, por su valor y valentía, llegan a los periódicos como el que describimos a continuación brillantemente reflejado por la periodista Melissa Sánchez en las páginas de *El nuevo Herald* de Miami publicado el domingo 8 de junio de 2010 en primera página. Aquí incluimos un resumen.

Caso 1

Su marido la arrastró por el pelo, la empujó y la llamó prostituta. La tiró a la cama y la violó. Pero Leticia Medrano no lo denunció ante las autoridades. Como incontables inmigrantes sin papeles en Estados Unidos temía más las consecuencias de acudir a la policía que cualquier abuso de su marido.

"Si tú vas a la policía, lo único que van a hacer es enviarte de regreso", afirmaba Medrano, de 35 años.

"Y pensé que a lo mejor es así como él dice. En mi mente decía yo que lo iba a dejar pero a la misma vez me ponía a pensar en mis hijos", afirmó Leticia Medrano que emigró ilegalmente hace 10 años para limpiar casas, cosechar tomates y enviar dólares a su familia en San Luis Potosí. "Me chantajeaba con los niños en México, que me los iba a quitar."

En el Estado de la Florida, se reportó un promedio de 4,5 casos de violencia doméstica por cada 1.000 habitantes. Pero en Homestead y Florida City hay 10 y 27 casos por cada 1.000 habitantes respectivamente. Los rumores corren rápidamente por las comunidades de Homestead, desde las tiendas del centro donde se cambian cheques y venden tarjetas telefónicas hasta los viveros donde se puede escuchar el canto de los gallos.

Se murmura sobre donde está escondida la "migra" y cuáles patrones abusan de sus trabajadores.

Una hermana en Luisiana la ayudó a Leticia con los gastos para el viaje ilegal a Estados Unidos hace 10 años. Cruzó la frontera una noche dentro de la cabina de un camión, agachada detrás del asiento del chofer. Su hermana la esperó en Dallas y le buscó un trabajo de limpieza.

Su esposo no tardó en seguirla. Vinieron a vivir con unos parientes en Homestead, donde él comenzó a trabajar como albañil y ella en un vivero. Las cosas parecían que estaban mejorando hasta que se embarazó con su tercer hijo.

El ciclo de violencia comenzó otra vez.

"Seguía con lo de antes, empujándome, aventándome. Me decía cosas, no sé cómo decirlo. Me humillaba… Me obligaba a tener relaciones con él y me decía: "¿Quien te va a creer, si tú eres mi esposa?""

Leticia lo quería dejar, pero la amenazaba con quitarle los dos hijos que quedaron en México. Al igual que otras muchas mujeres otra vez no se atrevió a ir a la policía.

Su caso llamó finalmente la atención una tarde de verano del 2003, cuando su marido la golpeó salvajemente afuera de la casa que compartían con sus parientes en Homestead. Una vecina llamó a la policía, cosa que Leticia nunca hubiera hecho.

Leticia acabó por separarse del marido y se fue a vivir con una amiga. Solicitó una orden de restricción contra él, se divorció y mantuvo la custodia de su hijo.

Los años pasaron. El hombre fue deportado y Leticia siguió trabajando sin papeles en Homestead, enviando dinero para educar a sus hijos en México. Luego, a finales del 2008, una amiga le contó sobre una abogada en Homestead que tal vez le podía ayudar a sacar una Visa U.

Caso 2

Junto con la abogada Lorduy llenaron la solicitud, y en un año la visa le llegó por correo.

Al comienzo Patricia se sentía usada y humillada. Más adelante vino la agresión verbal. Y no tardó mucho en que su marido intentara ahorcarla estando en cinta y frente a sus hijos de 6 y 2 años.

"Los niños tenían miedo, no confiaban en nadie, no paraban de llorar y querían estar al lado mío todo el tiempo", recordó Patricia de 28 años, residente de St. Louis, Missouri. "Él venía y nos amenazaba y teníamos que escondernos."

Transcurrieron dos años de desesperación. Hasta que Cristina le contó a la maestra de la guardería lo que sucedía en casa.

Pronto la madre recibió una llamada de Cecilia una trabajadora social de ASC CARES un centro de crisis y terapia donde le ofrecieron consejería, tanto a ella como a sus hijos, y también asistencia legal.

Patricia nos comentó que los niños habían vuelto a tener confianza en sí mismos, estaban funcionando mejor, aunque conservaban cierto temor y eventualmente tenían crisis de salud como diarrea, alergias, y cambios repentinos en sus estados de ánimos.

Caso 3

Yo tenía 12 años y vivíamos en un caos todos los días. Mi madre había abandonado a mi padre, quien bebía mucho y le pegaba con frecuencia. Pero hace como dos años mi madre había traído a vivir con ella a un compañero de trabajo con quien había establecido una relación de pareja. Pero se repitió la experiencia porque aunque no tomaba, de todos modos no solamente le pegaba y creaba muchos problemas, sino que además no iba a trabajar con frecuencia, y quería que mi madre fuera a trabajar y además le diera de comer y todo lo demás. Una noche pelearon como nunca, y antes que él pudiera pegarle, ella se encerró en su cuarto y trabó la puerta. Él vino a mi recámara a dormir lleno de furia y me violó. Y lo siguió haciendo hasta que mi madre lo echó de la casa llamando a la policía. Después que esto sucedió y estuve seguro que ya no volvería, fue que le conté a mi madre lo que su pareja había hecho conmigo. Hoy tengo 18 años y tengo un compañero homosexual y vivimos en un lugar fuera de mi casa.

Caso 4

María es una buena persona, con sobrepeso, trabaja en limpieza de oficinas y también de casas de familias. Tiene 47 años y cuatro hijos. Es una persona muy honesta y trabajadora. Su marido, bebedor y abusador, le hacía la vida imposible en su estado mexicano de Michoacán. En oportunidad de las fiestas de fin de año, por una familiar que regresaba a México para pasar las fiestas se enteró de los sistemas de protección que había en los Estados Unidos, y que aunque en México hay ciertas leyes protectoras, era muy difícil encontrar la ayuda necesaria y además protección, según lo que cuenta. Después de reunirse con su prima en tres ocasiones y de escuchar sus relatos y de cómo había resuelto su situación, tomó la decisión de venir a Estados Unidos. Fue reuniendo dinero y experiencia a través de otros que habían hecho el viaje. Finalmente tomó a sus dos hijas mayores y sin decir nada más, emprendió el viaje. Lograron llegar bien y sobrevivir todas las circunstancias. Después de conseguir trabajo para las tres, siguió buscando información y hasta se atrevió de hablar con un policía hispano quien le dio toda la información necesaria.

Como ella lo esperaba, su esposo no tardó en llegar. Y también, como lo esperaba, el siguiente fin de semana él se emborrachó y todo volvió a suceder como antes. Entonces llamó al policía que conocía, y cuando éste llegó, su esposo recibió una gran sorpresa: el policía le dijo todo lo que le iba a suceder, y ella no necesitó nada más para convencerlo que ella estaba dispuesta a actuar para protegerse a sí misma y a sus hijas. Él lo entendió así y nunca más tuvieron ningún incidente y pronto pudieron traer a sus otros dos hijos.

Caso 5

Araceli llegó a nuestra oficina totalmente desorientada. Sus tres hijos, todos varones de 15, 13, y 11 años tenían serios problemas de conducta. Ella es una mujer muy trabajadora de 38 años que se divorció, hace 6 años de un esposo abusador y alcohólico, cuatro años después de haber llegado de México. Trabajaba limpiando casas, era muy responsable y logró establecer una red de clientes. Pero sentía culpabilidad y actuaba con sus hijos como si ellos debieran perdonarle la culpa que ella creía que tenía, de modo que no los disciplinaba, simplemente les daba todo lo que le pedían, muchas veces a costa de su presupuesto diario y sus necesidades de tener su auto listo cada mañana para salir a trabajar. Obviamente su ahora ex esposo, según su relato, en sus salidas con los niños, se los ponía en contra y les hablaba mal de ella. Así de este modo el círculo de tensión iba creciendo dentro del hogar. Ella había logrado que sus hijos obtuvieran una beca de una escuela católica privada a cambio de su trabajo de limpieza. De pronto su hijo de 15 años comenzó a no ir a la escuela y a desatender las clases y ella fue llamada a la rectoría. Cuando regresó, comenzó a reprenderlos y como respuesta recibió un golpe con una cadena en la cabeza. Fue llevada a un hospital y su hijo detenido en un centro de rehabilitación. Pero entre su culpabilidad y los consejos inadecuados, lo retiró de ese centro y lo regresó a la casa sin que hubiera terminado la terapia que había iniciado. Ya en la casa el joven inició el ciclo de violencia de nuevo.

Llegaron a nuestra oficina los cuatro, con mucha resistencia a dialogar y con un largo camino por delante de terapia y violencias.

ACERCA DE LA ORDEN DE PROTECCIÓN

La persona abusada no necesita estar casada con el agresor para obtener una orden de protección de la Corte de Familia.

La persona agredida o abusada puede obtener una orden de protección contra cualquiera de las siguientes personas en la Corte de Familia:

El cónyuge actual o uno anterior.

Alguien con quien tiene un hijo en común.

Otro miembro de la familia con quién está relacionada por sangre o matrimonio.

Una persona que está o ha estado en una <u>relación íntima</u> con otra. (Una relación íntima no significa necesariamente una relación sexual, pero es algo más que una relación casual o social. El juez decidirá si la relación es íntima basado en los hechos acerca de la relación y cuánto tiempo ha durado).

La mujer puede obtener una orden de protección en la Corte Criminal en contra de alguien con quien no está casada y no tienen ninguna relación en absoluto. En la Corte Penal, se puede hacer una denuncia en contra de la persona que le ha abusado o le está haciendo violencia. Normalmente esa persona es detenida, y el Fiscal del Distrito crea una causa penal contra esa persona. La persona agredida o abusada se convierte en testigo. En este punto la persona abusada puede solicitar una orden de protección contra su agresor en ambos tribunales, al mismo tiempo, o sea en la Corte de Familia o en la Corte Penal.

El estar siendo acosada/o es uno de los crímenes que le permite obtener una orden de protección. Otros delitos incluyen: asalto, tentativa de asalto, amenazas, imprudencia temeraria, y conducta desordenada.

En la Corte de Familia el peticionario es la persona que solicita una orden de protección. Uno de los informantes es el peticionario y el otro el demandado. En la Corte Penal a esta otra persona se la denomina el acusado.

En una Corte de Familia, el peticionario y el demandado tienen derecho a contratar a un abogado. Si un demandante o el demandado no pueden contratar a un abogado, pueden pedirle al tribunal que designe un abogado de forma gratuita. En una Corte Penal, la oficina del fiscal del distrito representa al pueblo. Ellos ayudan a la persona que quiere una orden de protección-demandante. El acusado puede contratar a un abogado o que el tribunal nombre a uno sin costo alguno si él o ella no lo pueden pagar por comprobada falta de recursos económicos.

¿Cómo puede hacer para crear o abrir un caso? La víctima simplemente llama a la policía si siente que está en peligro. Luego, la persona en peligro puede ir a la Corte de Familia de su condado para presentar una petición de ofensa o de delito de familia, o ir a la oficina del fiscal de distrito o ir a la Corte Penal local. La persona agredida o en peligro puede elegir hacer todas estas cosas, si lo desea, pero siempre debe llegar hasta el final. Estas situaciones a medio hacer o sin terminar implican un peligro adicional.

Una "Declaración jurada de notificación" es un documento que debe presentarse ante el tribunal que demuestre que el demandado ha sido informado o notificado acerca del caso. El personal del tribunal le ayudará con instrucciones importantes sobre este documento.

Un abogado de la sala en el Tribunal de Familia es un abogado que trabaja para el juez.

El demandante debe ser muy específico acerca de qué cosas se deben poner en una orden de protección, de este modo el juez puede solicitar en la orden de protección que el demandado o demandada:

Detenga los asaltos, las amenazas, los hostigamientos, un delito de imprudencia temeraria, o una conducta desordenada en contra de la demandante.

Sea removido por la policía de donde el demandado vive.

Que el demandado se mantenga alejado de la demandante, de la residencia, del trabajo, y de otros lugares que la demandante desee o necesite.

No llame por teléfono, no envíe correos-e o escriba cartas a la residencia, al trabajo, o llame al teléfono celular de la demandante.

El juez también puede proteger a los hijos de la demandante en la orden de protección. Por ejemplo, la demandante puede pedir que cualquier visita a los hijos de ambos sea supervisada en un lugar seguro. En la Corte de Familia, el juez puede ordenar al demandado el pago de una ayuda temporal y darle la custodia legal de los hijos que la demandante pueda tener con el demandado.

Qué sucede si se olvida de la fecha de presentación en la corte. Si el olvido es de la demandante en la Corte de Familia, es probable que el caso quede cerrado y probablemente cualquier orden de protección provisional que hubiese, ese día queda terminada. Si es el demandado el que se olvidó su cita en la Corte de Familia, el caso se puede hacer sin la presencia del demandado (siempre que el peticionario le haya dado aviso o notificación del caso) y una orden de protección puede ser emitida. Como demandado o acusado una orden puede ser emitida para la detención del demandado por un tribunal de familia o por una corte penal, si no se presenta.

Si un demandado o acusado viola una orden de protección, la persona demandante con la orden de protección puede llamar a la policía, que puede arrestar al demandado o demandada. La persona con la orden de protección puede presentar una petición de "violación" en la Corte de Familia, hablar con la oficina del fiscal de distrito, o ir a la Corte Penal local. La persona con la orden de protección puede optar por hacer estas tres cosas. Tras la prueba de la violación, el juez puede hacer cambios en la orden de protección y poner al demandado o acusado en libertad condicional o dictar una sentencia de cárcel.

Una orden de protección de cualquier Estado es vigente en cualquier otro Estado. La víctima puede obtener ayuda sobre cómo registrar su solicitud de protección en la localidad a donde se hubiese trasladado tanto en la Corte de Familia, en la Corte Penal o en la estación de policía.

BIBLIOGRAFÍA

Bullis, Ronald K. & Mazur, Cynthia S.
1993 *Legal Issues and Religious Counseling*. Westminster/John Knox Press, Louisville, Kentucky.

Castilla Del Pino, Carlos
1991 *La Culpa*. Alianza Editorial, Madrid, España.

Clinebell, Howard John
1995 *Asesoramiento y Cuidado Pastoral*. Nueva Creación, Buenos Aires, Argentina.

1989 *Convicción* – Publicación Mensual.
Congregación Cristiana de Miami, Miami, Florida.

2003 *Countless numbers of battered women* –
The Nature and Dynamics of Domestic Violence. DV101 Project Life.

Keating, Thomas,
1992 *Invitation to love*. St. Benedict's Monastery, Element, Inc. Rockport, Massachusetts.

Kelly, Eugene W.
Spirituality and Religion in Counseling and Psychotherapy.
American Counseling Association, Alexandria Virginia.

Leahy Shlemon, Barbara
1982 *Healing the Hidden Self*. Ave Maria Press, Notre Dame, Indiana.

Quiroga, Ana P. de
1988 *Proceso de constitución del mundo interno*. Ediciones Cinco, Buenos Aires, Argentina.

McClanahan, John H.
1988 *El hombre como pecador*. Casa Bautista de Publicaciones, El Paso, Texas.

Peck, M. Scott
1986 *La Nueva Sicología Del Amor*. EMECE Editores, Buenos Aires, Argentina.

Rivas Rivers, Victor – A Private Family Matter – ©
2005 Victor Rivas Rivers – Atria Books, New York, N.Y., ISBN 13: 978-0-7434-8788-7

Schipani, Daniel S. &, Jiménez, Pablo A. (editores)
1997 *Sicología y Consejo Pastoral*. Libros AETH, Decatur, Georgia.

Sonkin, Daniel Jay & Durphy, Michael
1997 *Aprender a vivir sin violencia*. Volcano Press, Volcano, California.

Winters J. D. & Mary S. Laws
1988 *Against Sexual and Domestic Violence*. The Pilgrim Press, New York, New York.